經學研究叢書·經學史研究叢刊

經 學 史

安井小太郎　等著
連清吉、林慶彰　合譯

譯序㈠

儒學傳到日本是在應神天皇十六（二八五）年的時候。其後，欽明天皇十五年（五五四）《五經》博士王柳貴、《易》博士王道良來日，以《五經》爲中心的儒學盛行。推古天皇十二（六〇四）年發布聖德太子十七條憲法，其條文或引用《五經》和《論語》的原文，或稍改易語句。元正天皇養老二年（七一八）頒布養老律令，設定大學的課目爲：大經《禮記》、《春秋左氏傳》，中經《毛詩》、《周禮》、《儀禮》，小經《周易》、《尚書》，學者必須兼修《孝經》、《論語》。由此可知當時《五經》、《孝經》、《論語》等經書依然被廣泛的研究。換句話說，從應神天皇到元正天皇的四百多年間是以《五經》爲中心的儒家學問。

到了平安朝，明經博士的清原家依然維持以《五經》爲中心的傳承。但是鎌倉時代以後，禪僧往來中國與日本，宋代刊本頗受尊重與利用。因此明經家的清原教隆也利用宋版書來校勘儒家經典。德川幕府以後，《四書集註》的輸入，宋學逐漸定於一尊。不但林家的朱子學被立爲官學，即使有反林家朱子學的古學，即山鹿素行、伊藤仁齋、荻生徂徠等人的登場；陽明學，即中江藤樹、熊澤蕃山的提倡而與德川幕府相終始；而德川幕府三百年的學問是以宋學爲主體的，作爲學問研究主要依據的是《四書》。在經學的研究方面，則在德川中期以後，中井履軒、山井鼎、大田錦城、龜井昭陽、安井息軒等人別立機軸，潛心於《五經》訓詁、考據與編修。但終究是鳳毛麟爪的存在而已。至於江戶時代經學研究的情況，根據安井小太郎《經學門徑書目》的記載，江戶學者對於《儀禮》、《公羊傳》及《說文》並沒有精湛的研究，但是在《四書》、《左氏傳》的研究上則有非凡的論著流傳至今。亦即典章制度、文字音韻、變古改易的今文經說的研究，並非江戶學者所關注的；維繫儒家思想與傳承的經典才是其研究的重點。

以史的觀點整理東洋學術是在明治時代西洋學問東漸、留學歐洲以後。其代表是井上哲次郎及其弟子遠藤隆吉。井上哲次郎著有《日本朱子學派之哲學》、《日本陽明學派之哲學》、《日本古學派之哲學》。遠藤隆吉著有《支那思想發達史》。明治一代以歷史的角度整理中國文學、中國思想及日本漢學的風氣一時盛行。大東文化學院志道會所編纂的《經學史》即承繼明治時代整理東洋國故的遺風，開啓日本撰述中國經學史的先聲。此書雖然是收集課堂講義而成的，講課的先生皆爲一代碩學者儒，安井小太郎更是當代的經學大師。東京帝國大學總長井上哲次郎盛贊安井小太郎的經學研究成果說：「朴堂君最用力於經學。」安井小太郎精通經學一事可以由他爲數甚多的經學著作而知其一端。至於其經學研究的方法，可以由本書所收集的「先秦至南北朝經學史」一文知其梗概。此文以近代學術分類的觀點，將中國經學史區分爲三期十四種類。又將第一期和三期，即先秦至南北朝中國經學研究的變遷作如下的說明：

> 先秦（義理發揮）↓西漢（文字訓詁、今文學）↓西漢（五行說）↓東漢（讖緯、古文學、五經正義）↓魏晉（集解）

細密地作時代的分期與類別的畫分，頗能清楚地說明從先秦至南北朝的經學發展的經緯。關於中國經學之變遷，安井小太郎乃根據山鹿素行的：

> 孟子以後至宋，其學有三變。戰國法家、縱橫家，漢唐文字訓詁、專門名家，宋理學、心學也。（《聖學要錄》）

伊藤東涯的：

> 三代聖人之道，一變乎漢，再變乎宋。（《古今學變》）

大田錦城的：

漢學長於訓詁、宋學長於義理、清學長於考證。……自漢至唐其學小變，然要皆漢學也。自宋至明其學小變，然要皆宋學也。清人有為漢學者焉、有為宋學者焉、有混漢宋之學而自為一家者焉，然要皆清學，而其所長則考證也。（《九經談》）

三人的論說。又依據清《四庫全書總目》「經部總敍」所說的「漢、漢至隋唐、宋、宋末至明、明正德以後、明末清初以後」，即所謂「經學古今六大變」，參考皮錫瑞《經學歷史》所記載的「開闢時代（春秋）、流傳時代（戰國）、昌明時代（西漢武帝）、極盛時代（西漢元成二帝─東漢）、中衰時代（東漢桓靈二帝─魏晉）、分立時代（南北朝）、統一時代（唐）、變古時代（宋）、積衰時代（元明）、復盛時代（清）」「經學十變說」，用以說明中國經學發展源流。換言之，安井小太郎參採中國儒者與日本江戶前賢的見解，提出自身的見地。安井小太郎以為經學之名起源於漢代。就經學的研究方法而言，有三次的變遷。第一為西漢至北宋之間所盛行的訓詁學。第二為南宋至明末的理學。第三為清初至今日的考證學。再就研究的內容而言，各階段又可分為以下的細目。訓詁學分為專於一經之學、五經通義、今文學、古文學、南學（南朝的經學）、北學（北朝的經學）、注疏學。理學分爲朱子學、陽明學、折衷學（劉宗周）。考證學分爲訓詁學、音韻學、金石學（文字學）、校勘學、雜家（清常州公羊學派）。關於經學起源於漢代的主張，安井小太郎是根據皮錫瑞《經學歷史》的說法。至於經學的流衍，則承繼伊藤東涯和大田錦城二人之說，並參考《四庫全書總目》的敍述，進而提出自己的見解。特別是第一期的訓詁學與第四期的考證學的細目，頗能辨章當時的經學研究狀況，探究學術的源流，確實是後出轉精。

台灣中央研究院中國文哲研究所林慶彰教授精通羣經，不但潛心於中國歷朝經傳的研究，更留意日本江戶時代以來的經學研究成果。以爲安井小太郎等人撰述的《經學史》深入淺出而精簡扼要，或可作爲大學講授經學史的教材。有意翻譯成書，屬余共襄其事。書成而撰序記之。

一九九六年九月連清吉寫於福岡

譯 序㈡

大家都知道經學史的研究起於清末民初。當時一起做這方面研究的，除國內的學者外，也有不少日本的漢學家。國人的著作，有劉師培的《經學教科書》第一冊、皮錫瑞的《經學歷史》、陳燕方的《經學源流淺說》、周予同的《經學歷史注釋》、馬宗霍的《中國經學史》、甘鵬雲的《經學源流考》等多種。這些書出版於數十年前，篇幅大多非常短小，但因尚未有更新的經學史出現，所以，像皮錫瑞、周予同、馬宗霍等人的書，仍是研究經學史必備的參考書。

在日本方面，經學史的研究成果似乎更爲豐碩。通史方面的著作，即有三種。一是本田成之的《支那經學史論》（東京：吉川弘文館，一九二七年），在中國有江俠菴的譯本，名《經學史論》（上海：商務印書館，一九三四年五月）；孫俍工的譯本，名《中國經學史》（上海：中華書局，一九三五年六月）。二是由安井小太郎、諸橋轍次、小柳司氣太、中山久四郎合著，諸橋轍次編輯的《經學史》（東京：松雲堂書店，一九三三年十月）。三是瀧熊之助的《支那經學史概說》（東京：大明堂書店，一九三四年四月），在中國有陳清泉的譯本，名《中國經學史概說》（長沙：商務印書館，一九四一年八月）。

如就各朝代的斷代史來說，也有相當豐富的成果，如秦、漢時代的經學史，有內野熊一郎的《秦代における經書經說の研究》（京都：東方文化學院，一九三九年三月）、《漢初經書學の研究》（東京：清水書店，一九四二年六月）。魏晉時代，有加賀榮治的《中國古典解釋史—魏晉篇》（東京：勁草書房，一九六四年三月）。宋代方面，有諸橋轍次的《儒學の目的と宋儒の活動》（東京：大修館，一九二九年十月）。在中國有唐卓郡的譯本，名《儒學之目的與宋儒之活動》（南京：首都女子學術研究會，一九三七年七月）。清代方面，早期有森本竹城的《清朝儒學史概說》（東京：文書堂，一九三一年二月）；晚近則有近藤光男的《清朝考證學研究》（東京：研文社，一九八七年七月）、濱口富士雄的《清代考據學の思想史的研究》（東京：國書刊行會，一九九四年十月）。

如就各經的發展史來說，《易經》方面，有今春聽的《易學史》（東京：紀元書房，一九四一年五月）、戶田豐三郎的《易經注釋史綱》（東京：風間書房，一九六八年十二月）、鈴木由次郎的《漢易研究》（東京：明德出版社，一九六三年三月）、小澤文四郎的《漢代易學の研究》（東京：明德出版社，一九七〇年十一月）、今井宇三郎的《宋代易學の研究》（東京：明治出版社，一九五八年三月）。《公羊傳》方面，有濱久雄的《公羊學の成立とその展開》（東京：國書刊行會，一九九二年五月）。《四書》學方面，有佐野公治的《四書學史の研究》（東京：創文社，一九八八年二月）、松川健二編的《論語の思想史》（東京：汲古書院，一九九四年二月）。

單篇論文的數量，更多達數千篇，有不少論題的研究論文，都早於國內的學者。詳細情形，可參考筆者主編的《日本研究經學論著目錄》（台北：中央研究院中國文哲研究所，一九九三年十月）。

日本學者有如此多的經學研究成果，除前文所述本田成之的《支那經學史論》、瀧熊之助的《支那經學史概說》、諸橋轍次的《儒學の目的と宋儒の活動》等書有譯本外，其他各書都未見有譯本。國人的經學史研究中，有引述介紹的也少之又少。並非這些著作完全沒有參考價值，而是這數十年間，中日關係惡化，國人因仇日心理，不屑學習日本語，也無法閱讀這些著作。筆者自編成《日本研究經學論著目錄》後，一直在思索如何來面對這批日本研究經學的龐大資料？

要了解日本學者的研究成果，第一步驟是要能讀通他們的論著。一九七六、七七年間，筆者曾到中國青年服務社的日語班上過一年日文。後來因撰寫碩士論文，日語課也中斷。一九七八年考入東吳大學中文研究所博士班，按規定必須修第二外國語。我們在日文系修習了兩年的日語課，有讀本、會話、作文等，似乎頗有成就感，但仍無法順利閱讀艱澀的漢學著作。後來，又因撰寫博士論文，在日文系所學到的也逐漸丟失。一九九一年三、四月間隨中央研究院中國文哲所吳宏一主任赴東京、京都等地訪問時，連最簡單的寒喧語也已無法說出口。同年十一月，爲編輯《日本研究經學論著目錄》，開始和馮曉庭、許維萍兩學弟匯集相關資料。因台灣所能見到的資料相當有限，乃於一九九二年十一月趁應東洋文庫邀請演講之便，赴東京大學文學部圖書館補查資料。由於所有的期刊，都用五十音排列，不知刊名讀法根本找不到書，當時查書的工作都由許政雄弟和東京大學中國哲學研究室的橋本秀美先生協助。

回國後，一直在思索著：是不是要重新學習日文？逾不惑之年的人是否有能力學好？由於在中央研究院工作，世界各國學者來來往往，更感覺外語能力的重要性。在《日本研究經學論著目錄》的編輯工作告一段落後，乃請在東吳大學中研所留學的日本籍學生大藪久枝當日語教師，於一九九三年十月一日開始學習。九四年七至九月間更應九州大學中國哲學系之邀，去作訪問三個月。回國後，認爲要提升日語程度，除多讀、多聽外，更應從事翻譯。由於江上波夫所編《東洋學の系譜》（東京：大修館書店，一九九二年十一月），剛出版不久，是了解日本百年來漢學發展的入門書，乃決定逐篇翻譯，在《國文天地》中發表，至目前已發表十五篇。此外，也零星翻譯了七、八篇有關《詩經》學史的論文。

筆者又覺得日本學者的研究成果既有那麼多，應該鳩集人力，作較有系統的譯介，一面可作爲國內學者研究經學之參考，一面可作爲中日學術交流的橋樑。此事曾請教過在鹿兒島純心女子大學任教的連清吉教授，他不但大爲贊成，更提出了値得翻譯的書單。在專書方面，我們先從諸橋轍次所編的《經學史》開始。佐野公治先生的《四書學史の研究》、松川健二編《論語の思想史》，都已徵得作者同意，正在翻譯中。將來希望逐步擴大，把加賀榮治的《中國古典解釋史─魏晋篇》、濱口富士雄的《清代考據學の思想史的研究》，也能陸續翻譯出來。

在單篇論文方面，希望以《日本研究經學論著目錄》作根據，選擇其中最重要的論文二、三百篇，鳩集二十位學者從事翻譯，由筆者和連清吉先生合編成《日本學者經學研究論集》一套十册。如能在近期內翻譯完成，將可和大陸出版的《日本學者研究中國史論著選譯》（北京：中華書局）、《日本學者中國文學研究譯叢》（長春：吉林教育出版社）、《日本中青年學者論中國史》（上海：上海古籍出版社）等三套大書相媲美。

連淸吉先生，東海大學中文研究所畢業後，即負笈東瀛，入九州大學中國哲學系，跟町田三郎先生一起研究中國思想史和日本漢學史。連先生在日本近十年的時間，不論是學生時代，或身爲老師，都一直熱心中日兩國的學術文化交流。一九九四年九月底，我從九州大學回國後，曾將劉三富教授和連先生，稱爲中日文化交流的正副部長。這次，連先生願意犧牲寶貴的時間，一起來翻譯這本《經學史》，對筆者的日語學習工作，是莫大的鼓舞。但願將來能有機會和連先生合作更多的事情。

全書的翻譯工作是這樣分配的，先秦至唐代由筆者翻譯，宋代至卷末（包括附錄三篇），由連先生翻譯。翻譯完後，再交互訂正過一次。爲了讓讀者更能了解著、譯者的經歷，在書末加了「本書著譯者簡介」。由於筆者的日語程度還相當膚淺，在翻譯過程中，也麻煩大藪久枝小姐甚多。黃智信學弟在擔任全書校對時，也指出部分疏失。在此致深深的謝意。

這個譯本即將出版，內心有無限的喜悅。但想到還有那麼多工作等待著我們去做，內心又不免沈重起來。

一九九六年九月林慶彰誌於中央研究院中國文哲研究所

原序

不知歷史的話，無法決定地位。不能決定地位的話，就不了解價值。不僅是溫故知新，因這樣的理由，所有的學術件隨著其應有的學術研究，而有其學術變遷發達史。大東文化學院在日本雖是獨一無二的漢學專門學校，但因各種原因，對於佔漢學大部分的經學，本校並沒有講授經學史的課程。這是一大缺陷。由於來自學生的各種要求，首先，我們志道會的研究部決定開特別的課程。幸好，安井、小柳、中山三教授雖很忙也都贊成這種做法，各人分擔最拿手的時代來作講課。我也列講席之末，擔任唐宋史的部分。四位講師並沒有深入的一起討論，每個人都想把所有的時間作最有效的講授而來上課。完成後，一看目次，有著力於概括性的敍述，也有注意具體性的說明，體裁略有參差出入，和一人所作的著述在性質上有所不同，此乃不得已之事。但這書可說是表現了多種研究法的樣式，依各人不同，反而可得到好處。且管見所及，不論在中國和日本，好像還沒有像樣的經學史。只有我是例外，其他三位教授因全部是經學界、史學界的耆宿泰斗，他們的片言隻語中，必有足以啓發後進的地方。本書所以要出版就是這個原因。

本書全部依據聽講學生的筆記而來。編輯、校正等事，研究部幹事所付出的心力甚多。當此書出版之際，我想對講師先生表達深深的敬意，即對上述諸君也想致謝。

昭和八年九月上澣　志道會研究部長　諸橋轍次

總目

附錄

例言

一、本書是由大東文化學院志道會研究部講習會筆記編纂而成。

二、經學史四編是昭和七年學院創立十年紀念講習會所作筆記，講課時間數，安井先生十小時，諸橋先生八小時，小柳先生四小時，中山先生八小時。

三、附錄三編是昭和六年朱文公誕生八百年紀念朱子學研究講習會所作筆記，講課時間數，安井先生五小時，山田先生二小時，市村先生四小時。另外，井上先生，諸橋先生的講演，則割愛。

四、卷頭各先生的影像是講演中所攝。

五、爲考慮到讀者方便，編輯時分章、節，和眉批一起，皆出於編者自己的意思。

六、世上的經學史並無善本，是以編者懇請各先生能讓這些講課的筆記出版。編纂校正等不完善的責任，全部在編者研究部幹事。

昭和八年九月　編者識

目次

第二章　兩漢的經學概觀　33

第二編　唐宋的經學史

諸橋轍次述　林慶彰、連清吉合譯

第三章　宋代經學概觀

第四章　朱子的解經　148

第三編　元明的經學史

小柳司氣太述　連清吉譯

第四編 清代的經學史

中山久四郎述 連清吉譯

附錄

第一篇

先秦至南北朝（附隋）經學史

安井小太郎述
林慶彰譯

第一章　先秦的經學概觀

一、孔子與六經

甲、孔子刪定六經

經學之名因起於漢代，談經學歷史，由漢代開始是比較適當。但戰國時代已有六經的名稱，雖無經學，經書之名已出現，所以，先秦時代的事一併在緒言中敍述。

皮錫瑞作《經學歷史》時，以先秦時代爲經學的開闢時代，眞正的歷史是從漢代說起。但是，我自己的說法和皮錫瑞有相異的地方。首先，簡單的敍述皮錫瑞的說法，接著再談自己的說法。

孔子未刪定六經

司馬遷的孔子刪定說

皮錫瑞的《經學歷史》，因認爲孔子刪定六經，經學實際起於孔子。這即是孔子刪定說。但經書果眞經孔子之手，這是相當大的問題，我並沒有著手考據這問題。孔子刪定說並不始於皮錫瑞，在司馬遷的《史記・孔子世家》，自古就有這種說法，大體上，有關《書經》的是：

追迹三代之禮，序書傳，上紀唐虞之際，下至秦繆，編次其事。

關於《詩經》的是：

古者詩三千餘篇，及至孔子，去其重，取可施於禮義。……三百五篇。

關於《易》的是：

孔子晚而喜《易》，序〈彖〉、〈繫〉、〈象〉、〈說卦〉、〈文言〉。

關於《禮》的是：

夏禮吾能言之，杞不足徵也，殷禮吾能言之，宋不足徵也，足則吾能徵之矣。觀殷夏所損益，曰：「後雖百世，可知也」，以一文一質，周監二代，郁郁乎文哉，吾從周。

關於《樂》的是：

孔子語魯大師，樂其可知也，始作翕如、皦如，縱之純如。繹如也，以成。吾自衛反魯，然後樂正，雅頌各得其所。

這樣地，引《論語》的話，建立孔子刪定說，而六經中的《春秋》，出於孔子之手，更沒有人有異論。茲將以上四經再重複地討論。

《尚書緯》的孔子刪定《書經》說

《書經》孔安國〈序〉的〈正義〉，引《尚書緯》說：

> 孔子求書，得黃帝玄孫帝魁之書，迄於秦穆公，凡三千二百四十篇，斷遠取近，定可以爲世法者，百二十篇，以百二篇爲《尚書》，十八篇爲《中候》。

《尚書緯》的說法是從司馬遷所說孔子編書的說法敷衍而來，此種說法就是很早以來流傳的孔子刪定六經之說。

孔子刪定說，《史記》以前並沒有，是由司馬遷開始，但因六經是儒家的經典，假如它們是經過孔子刪定的話，它的價值將更重要。司馬遷以來至唐代的學者，皆相信這種說法。但把六經認爲是孔子刪定，對於這種說法起了種種的疑問，所以，到了唐代，孔穎達首先懷疑，宋以後懷疑的更多。

孔穎達的刪詩否定論

孔穎達對孔子刪定《詩經》的說法，在〈詩譜序．正義〉中說：

> 如《史記》之言，則孔子之前，詩篇多矣。案書傳所引之詩，見在者多，亡逸者少，則孔子所錄不容十分去九，馬遷言古詩三千餘篇，未可信也。

趙翼的刪詩否定論

到清代趙翼的《陔餘叢考》說：

司馬遷謂古詩三千餘篇，孔子刪之，爲三百五篇，孔穎達、朱彝尊皆疑。古詩本無三千，今以《國語》、《左傳》二書所引之詩校之，《國語》引詩凡三十一條，惟衛彪傒引武王〈飫歌〉，及公子重耳賦〈河水〉二條是逸詩，而〈河水〉一詩，韋昭注，又以爲「河」當作「沔」，即「沔彼流水」，取朝宗於海之義也。然則《國語》所引逸詩僅一條，而三十條皆刪存之詩，是逸詩僅刪存詩三十之一也。《左傳》引詩，共二百十七條，其間有邱明自引以證其議論者，猶曰邱明在孔子後，或據刪定之詩爲本也。然邱明所述，仍有逸詩，則非專守刪後之本也。至如列國公卿所引，及宴享所賦，則皆在孔子未刪以前也。乃今考左邱明自引，及述孔子之言，所引者共四十八條，而逸詩不過三條，其餘列國公卿自引詩，共一百一條，而逸詩不過五條。又列國宴享歌詩贈答七十條，而逸詩不過五條，是逸詩僅刪存詩二十分之一也。若使古詩有三千餘，則所引逸詩，宜多於刪存之詩十倍，豈有古詩則十倍於刪存詩，而所引逸詩，反不及刪存詩二三十分之一，以此而推知古詩三千之說不足憑也，云云。

鄭樵的刪詩否定論

宋鄭樵《通志》也說：

上下千餘年，詩纔三百五篇，有更十君而取一篇者，皆商周人所作，夫子併得之於魯太師，編而錄之，非有意於刪也，刪詩之說，漢儒倡之。

朱子也說：

人言夫子刪詩，看來只是采得許多詩，夫子不曾刪去，只是刊定而已。

如右邊以爲孔子未刪詩的說法，由宋至清的考據家甚多。採用「古詩三千餘篇，孔子刪之，爲三百五篇」之說的學者，並沒有。朱子的刊定說，是本於《論語．子罕篇》：

子曰：「吾自衞反魯，然後樂正，雅頌各得其所。」

篇數本來如此，但孔子把風雅、雅頌相混的情形加以整理。《左傳》襄公二十九年，吳季札來魯觀周樂時，魯樂工爲之歌《詩經》之詩，季札一一加以批評，它的順序和今本《詩經》的順序並不相同。因有這種錯誤，孔子由衞返國以後，即把那種情況加以「刊

朱子的刊定說

定而已」。按朱子的說法，孔子著手去做這些事情，並非什麼大事。

大抵來說，孔子未刪詩的事是正確的。起先有三百十一篇，僅亡佚六篇。

《書經》刪定說之可疑

《書經》如《尚書緯》所說，經孔子刪定成爲今本的說法是可疑的，《左傳》僖公二十七年，晉趙衰說：

> 《詩》、《書》，義之府也。

《國語・周語》靈王二十二年，太子晉諫靈王的話說：

> 觀之《詩》、《書》與民之憲言，……

趙衰說《詩》、《書》是「義之府」，太子晉把它當作「憲言」。但周靈王二十二年是魯襄公二十四年，是孔子未生之前。根據這說法，孔子未生之前的《詩》、《書》，或被說成「義之府」，或被認爲是「民之憲言」，是人世間認爲很重要的書。今之《詩經》有〈黃鳥篇〉，《書經》有〈秦誓〉，都是有關秦穆公的記載，但因秦穆公和魯襄公的時代相接近，趙衰和太子晋說話時或許沒有〈黃鳥〉和〈秦誓〉，可能是後來所加，我不認爲《書經》也經孔子刪定，恐怕是孔子以前已經流行的經典，孔子把它加以利用的吧！《詩》、《書》都有〈序〉，古人認爲孔子所作，其非孔子所作，已成定說。所以此事更不成問題。

《易》的〈十翼〉非孔子所作

《易》先儒認爲是伏羲、文王、周公所作，它的本經並無刪定之說。司馬遷說孔子作〈彖〉、〈繫〉、〈象〉、〈說卦〉、〈文言〉，這即〈十翼〉。〈十翼〉非孔子所作，自宋歐陽脩著《易童子問》提出那說法以來，對這種說法，並沒有人有異論，但研究宋學的人，因宋學是以〈繫辭傳〉爲根底，從宋學根底的搖動，宋學者要說是孔子所作。但〈繫辭傳〉非孔子所作，已成定說，〈十翼〉非孔子所作的事，也不用去討論。

士喪禮與孔子有關

禮，在《禮記．雜記》有：

> 恤由之喪，哀公使孺悲之孔子，學士喪禮，士喪禮於是乎書。

《儀禮》的士喪禮，想必與孔子有關係，但並不是很重要。

樂刪定說未有證據

關於《樂》，並無證據。

依據以上的考察，司馬遷爲何要提出孔子删定說，這點董仲舒的〈賢良對策〉中有說到：

> 不在六藝之科，孔子之術者，皆絕其道，勿使並進，邪辟之說滅息。

武帝以六藝來興儒學，因司馬遷是武帝時人，本之董仲舒之言，爲了讓世人知道，六藝和孔子之道並不相違，所以，認爲六經皆與孔子有關。司馬遷提出孔子删定說以來，《漢書·藝文志》、《隋書·經籍志》等，皆遵奉此說。以上是和皮錫瑞相異的說法。

乙、孔子的教學與經書

孔子用《詩》、《書》、《禮》、《樂》來教育

如前所說，孔子雖未删定六經，但如把《論語》中孔子教育門人的方法加以考察的話，是常以《詩》或《書》、《禮》、《樂》來作教育。《春秋》之事，《論語》中未見到，而出於《孟子》。這是因《春秋》出於孔子晚年。《論語》所記，多爲在那以前的話。《論語·述而篇》說：

子所雅言，《詩》、《書》執禮，皆雅言也。

〈述而篇〉又說：

子曰：「加我數年，五十以學《易》，可以無大過矣。」

這「易」字，有說是「亦」之誤，但仍照原樣引爲例子，又〈泰伯篇〉說：

子曰：「興於詩，立於禮，成於樂。」

〈季氏篇〉說：

陳亢問於伯魚曰：「子亦有異聞乎？」對曰：「未也。嘗獨立，鯉趨而過庭，曰：『學《詩》乎？』對曰：『未也』。『不學《詩》，無以言』，鯉退而學《詩》。他日又獨立，鯉趨而過庭，曰：『學禮乎？』對曰：『未也』。『不學禮，無以立。』鯉退而學禮，聞斯二者。」

〈陽貨篇〉說：

子曰：「小子何莫學夫詩，詩可以興，可以觀，可以羣，可以怨。邇之事父，遠之事君，多識於鳥獸草木之名。」

〈陽貨篇〉又說：

子謂伯魚曰：「女爲〈周南〉、〈召南〉矣乎？人而不爲〈周南〉、〈召南〉，其猶正牆面而立也與！」

評《詩》的話很多，評《禮》和《易》的話也有。根據這些來思考的話，孔子教育門人時，是用《詩》、《書》、《禮》、《樂》。也有說「《書》曰」，但並無教《書》的事。又〈述而篇〉說：

子以四教，文、行、忠、信。

孔子時代無經書之名

這裡，所謂孔子的四科之教，文多半是《詩》、《書》，像這樣，《詩》、《書》、《禮》、《樂》是受到孔子的重視，但並不稱爲「經」，因此，經學之名在孔子時代並沒有。

二、作為書名的經字之意義和起源

經緯的意義

前面說到六經之名是在戰國時代出現的，但書籍附加經字是起於何時？以前，單稱《詩》或《書》，並沒有說經，孔子時代不用說也沒有。經是織物的縱絲，橫絲是緯。是貫穿本末之意。我想說到古今可行之常道的書，就給它加上「經」字。

六經之語始見於《莊子》

首先說到六經的是見於《莊子．天運篇》：

孔子謂老聃曰：「丘治《詩》、《書》、《禮》、《樂》、《易》、《春秋》六經。

不用說，那是寓言，但把《詩》、《書》、《禮》、《樂》、《易》、《春秋》稱爲六經，在這之前說不定也有，但今日留下來的，以這個最古。又〈天道篇〉說：

> 孔子西藏書於周室……孔子曰善，往見老聃，而老聃不許，於是繙十二經，以說。

陸德明《經典釋文》說：

> 說者云，《詩》、《書》、《禮》、《樂》、《易》、《春秋》六經，又加六緯，合爲十二經也。一說云，《易》上下經，並〈十翼〉，爲十二。又一云，《春秋》十二公經也。

但是誰懷疑，是指什麼，並不明瞭。

其次是《禮記．經解篇》：

> 孔子曰：入其國，其教可知也。其爲人也，溫柔敦厚，《詩》教也；疏通知遠，

《書》教也；廣博易良，《樂》教也；絜靜精微，《易》教也；恭儉莊敬，《禮》教也；屬辭比事，《春秋》教也。

這是記錄孔子對這六本書的批評之言，並沒有稱爲六經，但〈天運篇〉可見到相同的書名。我想《莊子・天運篇》和《禮記・經解篇》是戰國時代的作品，因此，在書上附加「經」字是起於戰國時代的習慣。在東漢蔡邕的〈明堂論〉引到魏文侯的《孝經傳》（今亡）。魏文侯是戰國時人。因此，這是戰國時代和所謂六經，同樣重要的書，使用經字的一個例子，又《呂氏春秋・察微篇》中引了《孝經》的文字：

> 《孝經》曰：「高而不危，所以常守貴也，滿而不溢，所以長守富也。富貴不離其身，然後能保其社稷，而和其民人。」

《孝經》之名

根據這個，可知從那個時候，《孝經》已單獨地使用經字作爲書名。還有，《孝經緯・鉤命訣》（今亡）中也說：

孔子曰：「吾志在《春秋》，行在《孝經》。」

經字從孔子時代已被使用，但緯書大多不足信。因此，孔子的時代並沒有用經字，而是戰國時代才被使用。

《荀子》的道經

此外，《荀子・解蔽篇》中，有「道經曰」，即今《書經・大禹謨》的話：

人心之危，道心之微。

諸子用經字

今之《大禹謨》是從《荀子》引這兩句，但在《荀子》的楊倞注，解釋「道經」是「有道之經也」。不管是怎樣的書，總之是用「經」字的例子。又《莊子・天下篇》有說到「墨經」的話，好像是墨子的書，現在的《墨子》有〈經說篇〉，或是指這篇也說不定。這是重視他的書而等同於「經」字。其他，老子的《道德經》、《管子》的〈經言〉、《春秋》的經傳等的「經」，並不是後人所附加。此外，有《山海經》這部書，但這本書並不很清楚，總之是戰國時代的書，或說是禹時的書，但並非如此。

先秦時代書籍附有「經」字的例子，大抵如右邊所引，意思是指「重要的書」。

三、戰國諸家的經學概說

孔門諸弟子的態度

孔門七十子等有關《詩》、《書》、《禮》、《樂》的研究方法，幾乎沒有記載，從《論語》孔子的教育法，七十子受教於孔子的情形衹能去想像。根據那個，這些人在通《詩》、《書》、《禮》、《樂》的大義之後，再問到義理上不安的地方，以及實行的方法，如後世有關文字章句的關係，幾乎未見到。孔子的回答大抵就事論說，如後世經學研究之類的方法幾乎沒有。《史記·儒林列傳》記載七十子之事說：

> 自孔子卒後，七十子之徒，散游諸侯，大者爲師傅卿相，小者友教士大夫，或隱而不見，故子路居衛，子張居陳，澹臺子羽居楚，子夏居西河，子貢終於齊，如田子方、段干木、吳起、禽滑釐之屬，皆受業於子夏之倫，爲王者師。

首先，孔子的主要門人的情形也沒有比這更清楚的。其他因事迹不清楚，有關他們研究學問的方法當然也不清楚，但大抵來說，以上的記載也可成爲經學歷史的緒言。

其次，戰國時代的學者，在《史記·儒林傳》之外，有曾參一派。因是傳孔子之學於後世最有功的人，所以敍述了曾參的事。《漢書·藝文志》說：

曾子十八篇。（名參，孔子弟子。）

但今已亡佚，今《大戴禮記》中有：

〈曾子立事〉、〈曾子本孝〉、〈曾子立孝〉、〈曾子大孝〉、〈曾子事父母〉、〈曾子制言上〉、〈曾子制言中〉、〈曾子制言下〉、〈曾子疾病〉、〈曾子天圓〉。

等和曾子有關的十篇。清阮元把《大戴禮記》中和曾子有關的部分作爲《漢書·藝文志》中的《曾子》十八篇，並爲其作注釋。讀《大戴禮記》中曾子的文章，是否即《曾子》並不清楚，但我想這十八篇的殘篇，其中和《詩》、《書》有關者甚多，都和孔子之言沒有差異。其中有和公明儀、樂正子春、單居離等的問答，單居離並沒在他書出現，但公明儀、樂正子春因在其他書中也看得見，實有其人是很清楚的。因此，《曾子》十篇我想大都是曾子的作品。曾子的門人子思，子思的門人孟軻，著《中庸》及《孟子》七篇的事，為人人所周知，這些是作為戰國時代的書而有名。又《禮記》中有〈緇衣篇〉，《經典釋文》說：

> 劉獻云：公孫尼子所作也。

《漢書・藝文志》云：

> 公孫尼子二十八篇。（七十子之弟子。）

他是誰的門人並不清楚，但仍是遵行孔子學風的人。

其次，在王充《論衡・本性篇》說：

> 周人世碩，以為人性有善、有惡，舉人之善性，養而致之則善良，性惡養而致之則惡長，如此則性各有陰陽，善惡在所善焉，故世子作〈養書〉一篇，宓子

世碩、宓子賤、漆張開的性說

賤、漆張開、公孫尼子之徒，亦論情性與世子相出入，皆言性有善有惡。

這些人的著作，今日還在的話，一定很有趣，但《漢書．藝文志》的儒家有：

世子二十一篇。（名碩，陳人也。七十子之弟子。）

漆雕子十三篇。（孔子弟子漆雕啓後。）

宓子十六篇。（名不齊，字子賤。孔子弟子。）

戰國時代儒家的學問可知的很多，但皆亡佚而無可窺見。前漢末年，《藝文志》出現時，《世子》、《宓子》、《漆雕子》等各種書還在，因根據那些書而作註，我想應該是可信的。

《韓非子》的八派之儒

其次是《韓非子．顯學篇》說：

自孔子之死也，有子張之儒，有子思之儒，有顏氏之儒，有孟氏之儒，有漆雕氏之儒，有仲良氏之儒，有孫氏之儒，有樂正氏之儒，……儒分爲八。

根據這個，韓非時，儒分為八派，想是互相辯難攻擊。因此，想必也有著述，《藝文志》也有記載，但亡佚的多，研究材料很缺乏。但是，其中幸運的是子思的《中庸》、孟氏的《孟子》、孫氏的《荀子》留下來，此外全部亡佚。其次，將先秦書中可見到的摘出作敍述。

韓非第一個說到的是子張之儒，子張的事，《論語》中能見到的有很多，但根據那些，子張之學並不是像所說的那樣的學風。唯《荀子・非十二子篇》說：

第佗其冠，神禫其辭，禹行而舜趨，是子張氏之賤儒也。

第佗重視裝扮的事，神禫重視冷靜又好聽的話，子張注意言語容貌，我想都是根據這個來做教育。又同篇說：

正其衣冠，齊其顏色，嗛然而終日不言，是子夏氏之賤儒也。偷儒憚事，無廉恥而耆飲食，必曰君子固不用力，是子游氏之賤儒也。

單單根據這些，子張、子夏、子游的學風是如何，我想也可看出幾分。

〈顯學篇〉的顏氏，是指誰並不清楚。我想並不是顏淵的事，但或許是顏淵過世後，弟子尊崇他，有傳顏子之學者，總之，《藝文志》裡，是否記載顏子的著作，並不清楚。孟子是大家都知道的事。漆雕氏僅見於王充的〈本性篇〉，仲良氏的事，其他書未見。但《毛詩故訓傳》中，仲良子的話引到一次。即《鄘風・定之方中》「作于楚宮」條：

> 仲梁子曰：初立楚宮也。

《正義》說：

> 仲梁子，先師魯人，當六國時，在毛公前。

根據這個，並無法窺見他的學風，但從大毛公引仲梁子的說法以解詩來看，我想他是研究詩學的，孫氏是孫卿子，即荀子，書全部保存下來。最後，樂正氏在《大戴禮記・曾子大孝篇》，載有樂正子春的話，我想是曾子的門人。韓非認爲儒者立門戶的重要人物是這八人，根據納入〈顯學〉中的人，當時的八人，我想是門人立派的學問，又在《韓非子》和《論衡》中，能見到《孟子》的告子，仍然是儒家的人物，他是性說和孟子不同的重要學者。前面提到的世碩和漆雕開等，他們的性無善惡的說法，是根據《論語》所說：

告子是儒家的一人

> 性相近也，習相遠也。

孔子關於性，並不像孟子那樣，不受限定。所以在門人中說性無善惡也出現了。又《孟子》中說：

高子的詩學

> 公孫丑問曰：「高子曰：『〈小弁〉，小人之詩也。』」孟子曰：「何以言之？」曰：「怨。」曰：「固哉，高叟之爲詩也。」

趙岐注：高子，齊人也。高子是否也是戰國時代專研《詩經》的學者，並不清楚。其他

《經典釋文》的先秦經學師承說

戰國時代的學者，《經典釋文．敍錄》有關於《易》：

自魯商瞿子木受《易》於孔子，以授魯橋庇子庸，子庸授江東馯臂子弓，子弓授燕周醜子家，子家授東武孫虞子乘，子乘授齊田何子莊。

關於《詩》有：

孔子……以授子夏，子夏遂作序焉。

徐整（字文操，豫章人，吳太常卿）云：「子夏授高行子，高行子授薛倉子，薛倉子授帛妙子，帛妙子授河間人大毛公，毛公為《詩故訓傳》於家。」

一云：子夏傳曾申（字子西，魯人，曾參之子。）申傳魏人李克，克傳魯人孟仲子（鄭玄《詩譜》云：「子思之弟子。」）孟仲子傳根牟子，根牟子傳趙人孫卿子，孫卿子傳魯人大毛公。

有關《書》的先秦傳承，並沒有記載。高行子是否即前面提到「固哉」的高子，並不清楚。田何子莊和大毛公是戰國末年的人。另外，戰國時代的經學者，這裡之外，不知道的很多。《易》的商瞿，《史記・仲尼弟子列傳》說：

> 商瞿，魯人，字子木，少孔子二十九歲。孔子傳《易》於瞿，瞿傳楚人馯臂子弘，弘傳江東人矯子庸疵，疵傳燕人周子家豎，豎傳淳于人光子乘羽，羽傳齊人田子莊何。

從孔子到田何，記載著《易》的傳授，但和《釋文・敍錄》名字有異同，那一邊是眞，並不清楚。矯庇子庸是不清楚，馯臂子弓也不清楚，但《荀子》中，子弓這個人的話常常出現，其中有不少以仲尼子弓出現。其他的書籍中，把他和孔子並列的幾乎沒有。《易》的方面，又有商瞿的門人的子弓，這果眞是和《荀子》所說同爲一人，並不清楚，但也可以加以研究。《詩》的師承中的人，全部不清楚。又一說中的孟仲子，見於《孟子・公孫丑下》，趙岐注說：

> 孟仲子，孟子之從昆弟，學於孟子者也。

戰國《春秋》學者三子

和這裡的孟仲子，是否同一人，並不清楚，但因同名，舉出來作爲參考。孫卿子即荀子。大毛公是作《毛詩故訓傳》的毛亨。以上在有關《詩》、《書》、《易》研究學者的現存書籍，幾乎已全部舉出來。

剩下的是關於《春秋》，同樣是在戰國時代，前述之外，通《春秋》學而有著書的，有左子、公羊子、穀梁子三子。寫《左氏傳》的左子，是否即《論語》的左丘明，從唐代起即有疑問，要討論這個，非常花時間，這裡僅舉戰國時代研究《春秋》的左氏這個人，其他不談。《左傳》的師承，根據《釋文‧敍錄》是：

> 左丘明作《傳》，以授曾申，申傳衛人吳起（魏文侯相），起傳其子期，期傳楚人鐸椒（楚大傅），椒傳趙人虞卿（趙相），卿傳同郡荀卿名況，況傳武威張蒼（漢丞相，北平侯）。

我想這些人是戰國時代的《春秋》學者。《公羊傳》是：

> 名高，齊人，子夏弟子，受經于子夏。

《穀梁傳》是：

名赤，魯人。靡信云：「與秦孝公同時。」《七錄》云：「名淑，字元始。」

《風俗通》云：「子夏門人」。

如右所說，《春秋》經學分爲三，即左氏、公羊、穀梁三家。

先秦經學者的態度

以上所舉諸家，因他們的著書大多散佚不傳，無法仔細批評，但考察現存《曾子》十篇、子思的《中庸》、孟軻的《孟子》，及《左氏傳》、《公羊傳》、《穀梁傳》、《荀子》等書，用漢以後的說法，是經學家是很明白的。但學風和漢以後的經學家大不相同，他們皆把《詩》、《書》、《易》、《禮》、《樂》的義理作深入的研究做爲自己的思想，用那些來教門人，向世人發表。所以，雖無經學之名，但其實都是經學者，荀子也一部分是經學者。漢以後，從學風相異的地方，可說都是儒學者，但這些都是經學者。所以，舉戰國時代的經學者作爲緒言。這些當時的學者，而有書籍流傳至今，即使是不重要，也是爲了後來研究者的方便而舉出來。

荀卿並非純粹的儒者

荀卿的事，《漢書・藝文志》列入儒家。尤其是大部分是儒家，尊孔子，重禮樂的事，和儒者並無不同，大別來說是儒家，但一看現在的《荀子》，和純粹的儒家相異。《解蔽篇》分別人心說：

虛壹而靜。

其次，《天論篇》說：

萬物爲道一偏。

怎麼想也不像純粹的儒家之說。「爲道一偏」的「道」是《老子》的：

道生一，一生二，二生三，三生萬物。

儒家並未將道這樣精煉的詮釋，這確是老子的學風混入荀子之中。又《禮記·禮運篇》載有孔子和言偃即子游的問答，全篇皆道家的思想，而無儒家思想。在《莊子》中，道

《禮記・禮運篇》非《莊子》的一部

家托孔子和孔子門人之名，敍述自己說法的很多；我想，〈禮運〉把原來可入《莊子》等裡面的，弄錯了，而納入《禮記》之中。但是，荀子因匯爲一書，看不出是純粹的儒家，儒家分爲八，道家分爲二。入漢以後，用老子或莊子的想法來注經的很多，魏、晉間，皇侃、何晏是這種態度。所以，漢、魏時代這種態度也不希奇，但戰國的荀子有這種說法，一方面是老子之學盛行，即使儒家也有借道家之說以爲說。這是道家滲入儒家，是先秦時代經學史上的一個變化，荀子是第一人。

毛亨和毛萇之學

荀子的門人大毛公仍是有疑問的人。今傳的《毛詩故訓傳》是誰作？有毛亨和毛萇兩說，清朝的學者也分爲兩說。但大毛公是毛亨，小毛公是毛萇，大毛公是荀卿門人，是戰國末的人；毛萇是漢河間獻王博士，時代離很遠。但清朝考證學者，對這樣的事並沒有注意，混同毛亨、毛萇的學者也有，這是朱竹坨的《經義考》所惹的禍，《經義考》說：

毛氏亨詩故訓傳三十卷　佚

毛氏萇詩傳二十九卷　存

但現在的《故訓傳》當然是毛亨作，毛萇並沒有作《詁訓傳》等書。而大毛公即毛亨，是荀子的弟子，查《毛詩故訓傳》和《荀子》即可知道。《荀子》中引《詩》甚多，其中和《毛傳》看法相同的並不多，但也有一定的數量。《毛傳》中也有好像是引用《荀子》的話的地方。其中一例是鄭玄依《周禮》把女子的婚期定爲仲春，《荀子》是秋冬，《毛傳》也是秋冬。其他小地方相同的，可以舉出不少。所以，大毛公是荀卿的門人，和作今之《故訓傳》的毛亨，是無可懷疑的事。

毛亨之學是漢以後經學的先驅

今之《毛詩故訓傳》因是注釋經書的字句，在戰國時代是有敷衍經書的字句，但大毛公的《故訓傳》之外，注釋經書的字句的，我想幾乎沒有。即大毛公是漢以後經學的先驅，漢以後的經學皆模仿大毛公。後來，給經這種書籍作解釋的，就叫做經學。

先秦經學的特色

依以上所述，先秦時代的經學者，應注意的有三事，即：

1. 戰國時代的經學者並不注意文字的注釋，僅理解書中的文字之意，作爲自己的思想來發表。
2. 毛亨爲經書作字句的注釋。
3. 荀子以道家之說解釋經書。

荀子的生卒年不太清楚，種種的考證也很多，死於戰國末年、說是在始皇帝那邊作過官的有二說，各個學者的研究，在這裡省略。

等到始皇併吞六國而王天下，相信刑名法術之說，因信李斯之言，於三十四年發布焚書令。當時，秦的朝廷有博士七十人，但僅是備員而已。根據該命令說：

> 史官非秦記皆燒之，非博士官所職，天下有藏《詩》、《書》百家語者，皆詣守尉雜燒之，有敢偶語《詩》、《書》棄市，以古非今者族，吏見知不舉與同罪。

這命令一起，興起於戰國間的儒學全部中斷。不久，秦滅，接著是楚漢戰爭，大抵這七年間文學的事也全部中止。

第二章　兩漢的經學概觀

一、前漢初期的經學隆盛

惠帝解藏書之禁

孝文帝立四經博士

漢高祖統一天下，一直未著手於文學之事，秦的禁書令也還在實行著。到惠帝三年，才解除藏書之禁，從這裡文學的氣運興起，一直到文帝時，趙岐的〈孟子題辭〉說：

孝文皇帝，欲廣遊學之路，《論語》、《孝經》、《孟子》、《爾雅》，皆置博士。

這是漢代經學復興的開始。但皮錫瑞的《經學通論》說：

案：宋以後以《易》、《書》、《詩》、《三禮》、《三傳》及《論語》、《孝經》、《孟子》、《爾雅》爲十三經，如趙氏言，則漢初四經已立學矣。後世以此四經並列爲十三經，或即趙氏之言啓之，但其言有可疑者，《史記》、《漢書·儒林傳》皆云，文帝好刑名，博士具官，未有進者。既云具官，豈復增置，五經未備，何及傳記？漢人皆無此說，惟劉歆〈移博士書〉，有孝文時諸子傳說立於學官之語，趙氏此說，當即本於劉歆，恐非實錄。

這是錯誤的，讓晁錯向伏生學習《尚書》之學，是文帝，伏生《尚書》從文帝是毫無疑問，又依文帝的行事來看，純粹的儒家之風很多，刑名之類的事一件也沒有。依《漢書·孝文紀》有像孟子王道的事：

嘗欲作露臺，召匠計之，直百金，上曰：「百金，中人十家之產也，吾奉先帝宮室，常恐羞之，何以臺爲？」身衣弋綈，所幸慎夫人，衣不曳地，帷帳無文繡，以示敦朴，爲天下先。

就這條，在〈儒林傳〉中，說他好刑名之學的說法，我想是錯誤的。皮錫瑞僅取〈儒林傳〉的說法，來批評趙岐之說，不免於流於淺見。

漢代經學的始祖

從文帝任命晁錯向伏生學《尚書》起，儒學興盛起來了。根據《漢書》來考察，當時前代遺老仍在世的是，秦博士伏生、張蒼和浮丘伯、申培、楚元王交、韓嬰、轅固生、高堂生、胡母生等，都是文帝時候的學者。就中楚元王交是漢高祖之兄，是從申培受詩學的人。在皇族中因要專門修習《詩》學，在漢代，《詩》學最早興盛起來。所以，在儒學復興的機運中，這些人是漢代經學的始祖。此外，有大毛公，但他是否生於文帝時，還有待考察。我想，或者文帝時，還沒有出生。但大毛公之學，由小毛公即毛萇全部接受，且擔任河間獻王的博士。從那個來看，恐怕大毛公在當時已是過世之人。

孝武帝立五經博士

接著文帝立四經博士，武帝建元五年，立五經博士。這是根據公孫弘的建議，《漢書．儒林傳》錄有公孫弘的奏議：

爲博士官置弟子五十人，復其身，太常擇民年十八以上，儀狀端正者，補博士弟子，郡國縣官，有好文學，敬長上，肅政教，順鄉里，出入不悖所聞，令相長丞，上屬所二千石，二千石謹察可者，常與計偕，詣太常，得受業如弟子，一歲皆輒課，能通一藝以上，補文學掌故缺，其高第可以爲郎中，太常籍奏，即有秀才異等，輒以名聞。

武帝用這個建議來置五經博士，把文帝時所置的四經博士廢去，代之以五經博士。《漢書．儒林傳贊》說到五經博士：

初，《書》唯有歐陽，《禮》后，《易》楊，《春秋》公羊而已。

並沒有提到《詩》。所以這並不是五經，而是四經。且都是今文。沒有《詩》，但實際上置五經博士，非有《詩》不可。若是立《詩》的話，應是立瑕丘江公，即立魯詩。不知爲何把《詩》遺漏。又《易》的楊，王先謙的《漢書補注》說：

其後立學，但施、孟、梁丘，不言楊何，所終三家之《易》，不出於楊，「《易》楊」爲「《易》田」之訛，楊本不立博士，漢以來言《易》者，皆本田何，三家皆田《易》，猶大小戴仍后《禮》也。

我想也是如此。而學者有關這些經書的專門學習，畢業後就任相當職位的官職。博士弟子五十人，修習那些經書和修業年限，現在並不清楚。

當時的博士主要是專門一經，以經書的解釋作爲主要的工作，因此訓詁的事也盛行。因爲這樣，有關經書解釋的書也特別多，它們大量的著錄在《藝文志》中。這和戰國時代的經學者，學風也不同，這是經學變遷的一點，談經學的事也從這裡開始。

二、今文古文概說

甲、今文經古文經和其字體

今文、古文經學之爭，由兩漢經三國，一直到晉初爲止，是非常大的問題。

漢初，用由前代繼承而來，用當時的文字所書寫的經書，是和後出的經書相對的，後世稱爲「今文經」。武帝立博士時，古文經雖已出現，但當時因古文經並未盛行，不稱今文經而稱為經。

古文經的發現

說到古文經在什麼時候被發現，《藝文志》說是武帝末。發現古文經的人是魯共王，起先他封於魯，為拓建自己的住宅，拆了孔子的家。從屋壁中發現經書。那些書用古文寫，和當時所用的文字不同。共王從孔子家出來以後，將這些書全部送給位於京城的孔安國。這共王是武帝的親戚，景帝之子，景帝前二年封於魯的事，《史記・諸侯王年表》有記載，這毫無可疑，因此，拆孔子的家也是到魯不久的事。共王死於武帝十三年，並不是武帝末。王充的《論衡》記載此事是景帝時，這比較正確，這事情因關係到很多事，年代的事僅講一點。

古文經的項目

這時由孔壁出來的經書是《尚書》、《禮》、《記》、《論語》、《孝經》等。當時景帝之子河間獻王好古學，蒐集用古文寫的經書《周官》、《尚書》、《禮記》、《記》、《孟子》等，此事在《漢書・景十三王傳》可見到。又許慎《說文序》之後，說到自己作《說文》時，根據什麼書來收集字時，所舉出的書名有：

其稱《易》孟氏、《書》孔氏、《詩》毛氏、禮《周官》、《春秋》左氏、《論語》、《孝經》，皆古文也。

今文、古文的字體

這些經皆古文是毫無疑義。漢代出現的古文經是什麼?是以上三種。還有,可疑的是《易》孟氏,孟喜是屬於田何系統的今文經學家。所以,把《易》孟氏看成是孟喜的話,我想孟喜首先學今文,後來才變成古文。或者是孟某,但是在孟喜之外學《易》的,因並無孟某的人,所以仍把他當作孟喜。

以上三種所學的古文經是《易》、《書》、《毛詩》、《周禮》、《禮》、《記》、《左傳》、《論語》、《孝經》。其中,《尚書》、《儀禮》、《左氏》、《論語》、《孝經》等有今文,但《周禮》、《毛詩》沒有,從這裡東漢經學史上關係最重大的今古文之爭出現了。

但今文、古文要怎麼分別呢?西漢時代的碑文和鐘鼎文,我想是今文,但要看以前字體寫的,西漢的文字很少,《金石粹編》僅僅兩篇,我想這是當時所謂的今文。那是接近隸書,但仍留有篆書的形態。隸書有波法,但這二個碑文並無波法。可以認爲是比讀篆書輕鬆而沒有波法的隸書。西漢當時的學者所讀的書,所用的字體是被寫的。所謂古文經是用當時並不流行的字體所寫的,一概叫古文。是既古又近的字體。《尚書》是很古的,但《孝經》和《論語》因是孔子以後的書,是用孔子時代流行的書體所寫的,我想那還很新。這又應根據《說文》,《說文》是因古文經的文字很難讀,乃蒐集這些書和山巖屋壁的文字,加上簡單的注釋,即前代文字的字典。《說文》中,文字是

《周易集解》所採漢《易》

劉向的《五行傳》、《韓詩外傳》、《尚書大傳》、《公羊傳解詁》

依古文、籀文作注，其他沒有全注的佔多數。從孔壁中出來的文字，《說文》中是古文，籀文是周宣王大師所作的文字，而沒有特別說出的是秦文即小篆。對秦文的小篆來說，把籀文叫大篆。而《說文》中並無大篆的名稱，這是後世所加。經孔壁和河間獻王之手所蒐集的經書，有古文，也有籀文，也有秦篆，但因不是漢代通行的文字，一概稱爲古文。今文、古文的字體大體如右所述，但經學上的今文、古文之爭是因本文文字的異同，是脫離字體的相爭。有關今文、古文，先作如右的說明。

乙、今文家的經說

今文家的經說是怎麼樣呢？今文家的著作，《藝文志》裡，各經相當多，但流傳至今者幾乎沒有，作爲今文家的經說，而稍稍可窺見其內容的是唐李鼎祚的《周易集解》，其中採了漢人之說。含前漢、後漢的漢人《易》說，僅能根據此書，至清朝漢《易》興起，也僅根據此書，此外沒有。其次是劉向的《五行傳》，散見於《漢書・五行志》。這大部分是《書經》方面的東西。《詩》有《韓詩外傳》。其次是何休的《公羊傳解詁》、伏生的《尚書大傳》，從這裡可以約略窺見漢儒的經說，其他都已亡佚。因何休是東漢末的人，何休的說法可以說是東漢的經說，我把他當作西漢的經說是何休的

〈公羊傳序〉說：

往者略依胡母生條例，多得其正，故遂隱括，使就繩墨焉。

胡母生是西漢之人。何休所根據的胡母生條例在那裡，並不清楚，因說是根據胡母生的條例，暫時把何休的說法作為西漢的經說。《尚書大傳》有殘本，鄭玄有注。《尚書大傳》幾乎沒有字句的解釋，僅把文章的大意作簡單的解釋，後來所謂《洪範五行傳》是根據五行說來解釋《洪範》。所以，我想伏生恐怕並沒有依五行說來解釋全部《書經》。一看《漢書．五行志》，董仲舒依五行說來說《公羊春秋》，劉向依五行說來說《穀梁春秋》，劉歆依五行說來說《左氏傳》，眭孟（《公羊》）、夏侯勝（《尚書》）、京房（《易》）、谷永（不明）、李尋（《尚書》）等人，都可說是以五行說來說經。眭孟等人的說法已看不見，但可舉出「劉向曰」、「董仲舒曰」等名字。依照這來看，西漢學者最常見的是依五行說來說經書。這是戰國時代沒有，東漢也沒有的事，依五行說來說經，是西漢經學的特色，是經學改變的第二點。

西漢經學者以五行說說經

何休的《公羊傳注》幾乎沒有文字的訓詁，大部分是事實和義理的解釋。這又讓人想起西漢的今文經說並無作文字訓詁的事。

首先，以五行說解釋經書，是整個西漢時代的學風，西漢之外的前後，並無此種風氣。

《公羊》家的荒唐無稽之說

這裡有一個奇怪的說法，隱公二年，紀子伯、莒子，盟于密。何休注：

> 《春秋》有改周受命之制，孔子畏時遠害，又知秦將燔《詩》、《書》，其說口授相傳，至漢公羊氏及弟子胡母生等，乃始記於竹帛，故有所失也。

孔子所作的《春秋》，是被認爲是改周受新命的書。若在世時將《春秋》發表，將有害當時之人。又害怕將來秦始皇焚書的事，將《春秋》口授相傳。到漢代公羊氏和胡母生等乃寫成書，但孔子作《春秋》，是希望魯成爲天子，自己並沒有說要成爲天子，而預知始皇燒書可說是無理的，是不足取，也沒有價值的說法。西漢的經學者往往有這樣的說法。我想，或者何休是東漢人，依讖緯來寫的，但這是多麼荒誕不經的說法。《公羊傳》當然不及《左傳》，何休的注也比不上杜預的注。

西漢學者未必有專一經重師法之事

前漢末的立學

三、前漢末的學風

西漢的經學因學問未開，書籍很少，多修一家之學奉行師說，後人以之爲專門一經，重師法。這從《漢書．儒林傳》的《易》家：「喜從田王孫受《易》，詐言得師說。博士缺，衆人薦喜，上聞喜改師法，遂不用喜。」很多學者引這條而如此說。但西漢初期的學者並非如此，事實可能是相反。依據〈儒林傳〉，王吉、董仲舒、夏侯始昌、后蒼皆通五經。並無專門一經，孟喜的父親孟卿是《禮》和《春秋》兼學，申培是《詩》和《穀梁春秋》，后蒼是《詩》和《禮》，孔安國是向申培學《詩》，又自己學《古文尚書》。即有關師承，《易》家的丁寬初從田何學，後又從周王孫，同樣《易》的京房，初從焦延壽，後從田王孫；又《尚書》家的夏侯勝從兒寬和蔄卿學。此外，例子還有。依照這些說法，西漢經學並無專門一經，也無重師承的事。寧可這樣說，在求學的過程中，受很多人教誨的相當多。

武帝立五經博士，廣開學問之道。其次是：

宣帝時開石渠閣，聚集很多學者雜論五經異同，又武帝立五經博士之外，立夏侯勝和夏侯建的《尚書》、戴德和戴聖的《禮》，又把施讎、孟喜、梁丘賀的《易》另立學官，《春秋》原本只有《公羊》學，後又立《穀梁》學。

元帝時立京房《易》。

平帝立古文經學

平帝時立《左氏春秋》、《毛詩》、《逸禮》、《古文尚書》。這《左氏春秋》以下皆古文經。古文經立學官始於平帝，但曾一度被廢，後又再立等曲折的事。從這點來看的話，西漢至平帝初年是今文經，接著古文經漸盛，至平帝時立於學官。平帝時將古文經立於學官是根據劉歆的建議。劉歆這人因不喜歡今文學者，雖遭到很嚴厲的批評，但在東漢經學是重要的關係人。

前漢末的古文學隆盛

又元帝的夫人愛古文經，加上王莽、楊雄、劉歆是古文家，王莽攝政時代將古文經立於學官。所以，古文經漸漸興盛，到東漢時大盛，鄭興、鄭衆、賈逵、服虔、馬融、鄭玄等古文家輩出，今文經卻失傳。

元帝，《前漢書》說他「善史書」。這是說他善於寫周宣王的太史史籀所作的籀文，即大篆。因元帝是善於寫文字，因而喜好古文。元帝的皇后是王莽的伯母，稱爲孝元太后。王莽後來執政權是因這伯母的關係，王莽也是古文家。孝元太后直到成帝、哀帝、平帝三代都在，常干與政治，王莽常依太后任事，結果是篡奪了漢的天下。

劉韻表彰古文

平帝立古文學未見實行

劉歆是名人劉向之子，劉向是《穀梁》家，是今文家，劉歆則是古文家，特別愛讀《左傳》。哀帝時，《左氏春秋》、《毛詩》、《逸禮》、《古文尚書》立學官之事完成，哀帝命劉歆讓五經博士講論研究，但因五經博士皆今文家，不想與劉歆一起議事，因此劉歆生氣，寫〈移書讓太常博士書〉，對古文舊書勝過今文的事有相當嚴厲的討論，這篇文章採入《漢書．劉歆傳》及《文選》中。因那篇文章，《今文尚書》家光祿大夫龔勝因劉歆之文，上疏深自罪責，乞骸骨。又大司空師丹，上疏責劉歆無禮，非毀先帝孝武所立之經。大抵來說，今文學者和當時的大官，意見一致。所以，劉歆害怕留在首都會受到迫害，遂離都任河內太守。哀帝崩，平帝立，等到王莽專政，向孝元太后報告，將劉歆喚回，掌理學問之事。以上《漢書．劉歆傳》可見到。因此，平帝時把古文經立於學官，我想是劉歆回京以後的事。不久，因戰爭王莽自殺。接著有短暫的戰亂，古文經立學官的事僅作了決定，我想並沒能施行。所以，東漢光武帝建武年間所立十四博士，都是今文經。但此事《後漢書．光武紀》並未見記載，〈章帝紀〉建初四年詔云：

> 至建武中，後置顏氏、嚴氏《春秋》、大小戴《禮》博士。

又《後漢書．徐防傳》注引《漢官儀》，說到這事云：

> 光武中興，恢弘稽古，《易》有施、孟、梁丘賀、京房，《書》有歐陽和伯、夏侯勝、建，《詩》有申公、轅固、韓嬰，《春秋》有嚴彭祖、顏安樂，《禮》有戴德、戴聖，凡十四博士。

所以，光武帝建武年間所立的都是今文。根據這個，平帝時所立的古文經，和王莽的失敗一起，並未被實現，仍然回到原來的今文經。故東漢立學官的經仍然是今文經。

四、後漢的古文學

甲、古文學的隆盛

光武帝即位之初，尚書令韓歆請將費氏《易》、左氏《春秋》立學官，因此，建武四年正月在雲臺會集公卿大夫博士，討論可否。當時博士范升（今文家）說：「近《京

范升、陳元的今古文之爭

陸德明的和帝立《左傳》於學官之說不可信

氏易》既立學官，《費氏易》怨望。今《左氏春秋》如再立學官，《騶氏》、《夾氏》也不沈默。如令兩家得立，求立學官者寖多，將紊亂五經之說。今草創之際，紀綱未定，雖設學官，無有弟子，《詩》、《書》不講，禮樂不修，奏立《左》、《費》，非政急務。」並上奏《左氏》之失十四條，此事見於〈范升傳〉。但這十四條是什麼，並不清楚。時陳元對范升之譏刺《左傳》又上奏，大略是：「范升之言，前後相違，皆斷截小文，媟黷微辭，以年數小差，掇爲巨謬，遺脫纖微，指爲大尤，抉瑕擿釁，掩其弘美，甚不公平之論。」這是范升、陳元的今古文之爭，文章甚長，見於〈陳元傳〉。光武帝從陳元之說，立《左氏》於學官，而選博士，結果是陳元列第一，但因元與今文家論爭，乃立第二名的李封爲《左傳》博士，但今文諸家反對之聲不止，恰好李封病卒，光武帝乃取消這替代的博士，《左傳》也從學官廢除。此事亦見於〈陳元傳〉。

畢竟，輸給今文家的《左傳》被廢止，這是當時的事實。但陸德明《經典釋文・敍錄》說：

> 和帝元興十一年，鄭興父子奏上，《左氏》乃立於學官。

詳查這點，和帝死於元興元年，次年即改年號。歷史上並沒有元興十一年。但《後漢書・鄭興傳》說：

> 天鳳中，將門人，從劉歆講正大義。

能帶門人的話，我想至少是要三十歲，但從天鳳末年到元興元年是八十四年，興將是百十四歲，不可能有這種事。又和帝元興十一年立《左氏傳》於學官的事，都不見於〈和帝紀〉和〈鄭興傳〉，《釋文・敍錄》的說法可能有誤。可見東漢初立於學官的，都是今文經。

靈帝的熹平石經

東漢末，靈帝熹平四年，將經書本文刻石，立於大學門前。這熹平石經毀於唐代，全石一個也沒有，但有殘字近二千字。這在宋洪适的《隸釋》有一些，最近羅振玉所收集的《漢熹平石經殘字集錄》有收錄。依這些來看，能成一句的並不多，但立於熹平石經的是那些經書，大抵可以確定。依那些材料，祇有《易》、《尚書》、《魯詩》、《春秋》、《公羊》、《儀禮》、《論語》七經有殘字。《易》、《尚書》、《儀禮》是今文或古文，並不清楚，但《魯詩》和《春秋》很明顯地是今文。所以，靈帝熹平四年所立的石經仍然是今文經。先前光武帝立於學官的是在東漢初，靈帝的熹平是東漢末。從這兩件事來看，我想東漢可以說是今文經。靈帝立熹平石經二三年後的光和三年，下詔說：

> 舉能通《尚書》、《毛詩》、《左氏》、《穀梁春秋》者各一人，悉除儀郎。

《毛詩》和《左傳》是古文，《穀梁》是今文。光武所立的，僅是《公羊》而無《穀梁》。所以特別下詔把通《穀梁》者用為儀郎。但這些立於學官的，並不是正經，東漢一代以今文經為正經，是可以看得出來的。

古文家的續出

如右邊所說，今文經是正經，但在東漢時代學古文的人陸續出現。古文家專力於文字訓詁的研究，結果解讀古書的能力大增。許慎的《說文解字》即為增進能力而作，為了那個，古文家的說法是徵引古書作為根據。所以，即使不立於學官也更加興盛。另外，和西漢經學者不同，東漢古文家都兼通今文，舉二三個例子的話，鄭興專學《公羊春秋》，又修《左氏》和《周禮》。賈逵既修《大夏侯尚書》和《穀梁》，又修《左傳》和《毛詩》、《周禮》。大夏侯《尚書》和《穀梁》是今文。鄭玄修京氏《易》、《公羊春秋》、《韓詩》。鄭玄本是《韓詩》家，後來修古文經，學《毛詩》。右邊所說的古文家皆兼通今古文。所以，學識也淩駕今文家，爲世人所相信。但今文家不學古文。這是進步慢的原因。所以，東漢初期，以古文家著名的有鄭興、衞宏、杜林。第二期有鄭衆、賈逵、服虔。第三期馬融、鄭玄等學者輩出而古文全盛。

因西漢武帝立五經，前面所談的今文、古文，也限於五經，以下將加入《論語》、《孝經》，略談其內容。

乙、今文經古文經的內容概說

今古文家的《易》說不同

今日留存下來，馬、鄭所注的有費氏《易》。西漢、東漢時代的《易》，費氏《易》以外，今日全然不存。所以，從西漢已有的施、孟、梁丘的《易》，經文是什麼樣，完全不清楚。在羅振玉所得的石經殘字，《易》只有一個，是什麼並不清楚。《易》因是占筮書，而免於秦火。經書中最完整的是《易》，其次是《詩》。所以今文《易》和古文《易》文字上並沒有很大的不同，寧可說是解釋上的不同。施、孟、梁丘的《易》，李鼎祚《周易集解》中有片斷的引用，收集那些是所謂的漢《易》，清朝的惠棟有漢《易》的書叫《周易述》，它是根據《周易集解》而來。漢《易》以象爲主，義理的解釋幾乎沒有。大多用《易》來看日的吉凶，把一爻作爲一日，把六十四卦乘六，是比一年的日數略多。將這個配於一年中，今日是何卦何爻的日子，以此來占日子的吉凶，此為漢《易》之通例。因爻數比一年的日數多，所以年年有變。到王弼才以義理解《易》。我想鄭玄也是如此，但其書已不傳，並不清楚。我想鄭玄也稍受今文家的影響。

今古文《書經》的不同

《書經》有很大的不同。今古文的主要爭端是在《書》、《詩》、《左傳》、《儀禮》等。《今文尚書》是二十八篇，《古文尚書》是二十九篇。說到根據什麼有如此的不同，〈顧命篇〉在甸男衞的地方，《經典釋文》說：

> 馬本從此以下為〈康王之誥〉。又云：與〈顧命〉差異，敘歐陽、大小夏侯，同為〈顧命〉。

歐陽、大小夏侯是今文，馬本是古文。所以，古文是在〈顧命〉之外，有所謂〈康王之誥〉。今文則把它全當作〈顧命〉。但是，現在的《書經》是怎麼說呢？有〈康王之誥〉，但是分法不同，是從「王出在王門中」來分，這是根據馬融本以外的本子。今古文的不同，只有一點，跟義理無關，但文句有相當的不同。例如：〈堯典〉的「文思安安」，大夏侯（建）的《尚書》作「文塞晏晏」，其中的文句各有不同，但最大的差異是〈盤庚下〉開頭的「心腹腎腸」（古文），但今文大夏侯本卻作「優賢揚歷」，把今古文作仔細的比較，有差別的地方相當多。漢儒所引的，大抵是今文，司馬遷所根據的，很多也是今文。段玉裁的《古文尚書撰異》、孫星衍的《尚書今古文注疏》，今文和古文的差別，大抵有收錄。

《儀禮》今古文的不同

《儀禮》的〈士冠禮〉注說：

古文闑為槷，閾為蹙。

〈士昏禮〉的注說：

今文枋為柄。

今古文《尚書》和這裡所舉的相當。鄭玄本來是古文家，但不論是古文經或今文經，唯善是從，持公平的見解，所以，東漢人在禮方面，並無今古文之爭。

《詩經》古今文的不同

《詩經》一書，《齊詩》和《魯詩》的〈關雎篇〉，是把它當作周康王晏起的刺詩，《毛

《春秋》今古文的不同

詩》是把它當作「后妃之德也」，以美文王的詩。要找這樣的差別，可說很多。

《左傳》和《公羊傳》不同，隱公三年「君氏卒」，《左傳》說：

> 君氏卒，聲子也。

把她當作隱公之母，但《公羊》、《穀梁》，《春秋》之經文不同，作「尹氏卒」，皆說：

> 尹氏者何？天子之大夫也。

歐陽脩作〈春秋論〉說：

> 《公羊》、《穀梁》以尹氏卒爲正卿，《左氏》以尹氏卒爲隱母，一以爲男子，一以爲婦人。

這點《左氏》、《公》、《穀》並沒有錯，當時的傳僅根據經文，從作傳之前，經文就有不同。又《左傳》把「春王正月」當作是周天子的正月，是當時王者的正月，《公羊》把王當作文王。又僖公二十二年泓之戰，宋襄公的作法，《左傳》說襄公並不知作戰之道，《公羊》說是知仁義之道。像這樣的事情，我想也成爲當時的問題。

《論語》古今文的不同

《論語》有《古論》、《齊論》、《魯論》三種。《漢書·藝文志》說：

> 《論語》古二十一篇（出孔子壁中，兩〈子張〉，如淳曰：分〈堯曰篇〉後，子張問「何如可以從政」已下爲篇，名曰〈從政〉。）
>
> 齊二十二篇（多〈問王〉、〈知道〉，如淳曰：〈問王〉、〈知道〉，皆篇名也。）
>
> 魯二十篇。

《論語》並無太多的今古文問題，但其中文字不同者相當多。《魯論》和《古論》的差別，《經典釋文》列舉五十多條，茲舉其中的數條。

> 〈學而篇〉：「傳不習乎」。（《釋文》云：「魯讀傳爲專」，今從古。）
>
> 〈公冶長篇〉：「崔子殺齊君」。（《釋文》云：「魯讀崔爲高」，今從古。）

〈述而篇〉：「五十以學《易》」。（《釋文》云：「魯讀易爲亦」，今從古。）
〈鄉黨篇〉：「車中不內顧」。（《釋文》云：「魯讀車中內顧」，今從古。）
〈堯曰篇〉：「不知命，無以爲君子也」。（《釋文》云：「魯論無此章」今從古。）

《孝經》今古文的不同

《孝經》古文有〈閨門章〉，今文沒有。

在東漢初桓譚的《新論》，《論語》、《孝經》的文字有差異者有四百多字。《論語》、《孝經》的今古文之爭，在東漢時代並沒有太大的問題。

《白虎通》的制定

東漢初，光武帝立十四博士，但諸家所傳經書的文字有很多差異，異說紛紛，不能定於一。又當時科考的考試題目，要根據什麼來出題，又讀過的就可以回答，沒讀過的，就沒辦法回答。又今文家中也分派。章帝建初四年，令諸儒會於白虎觀，論定經書本文。當時，章帝親自出席，並作議決。現在的《白虎通》，即是那時完成，可窺知東漢之學的方便之作。白虎觀所定，失之廣泛，因並沒有作確切的決定，靈帝熹平四年，把政府所採用的經文刻石，立於大學門內，讓很多學者知道，政府所認定的經就是這個。那是用隸書書寫。這雖爲了考試，一方面也有助於學說的統一。依據這點，我想同是今文家所讀的經書，也有相當的不同。但是，這時因所立的是今文經，僅訂正今文經已夠，但古文越來越興盛，魏正始時，立了三體石經。這是依古文、篆、隸來書寫。這完成後，古文流行於世，古文也非知不可，所以才把古文刻進去。因這是三國的事，將於下節敍述。東漢時代有關今古文的敍述，就暫時到這裡。

五、讖緯學概說

甲、讖學

讖學的發生和光武帝的信奉

東漢時代，讖流行起來，影響到經書。這種所謂未來記的東西，本不足道。東漢時代，讖緯之學關係到經書的是，一如西漢時代有五行說。爲何經書之旁總是有五行說和讖緯等這些東西？經書只能談當前的政治道德，所謂報應的宗教性說法根本沒有。所以中流以上的人，並不需借用報應也可以成爲堂堂正正的人，但是，中人以下對於行爲認爲一定有禍福吉凶。西漢有五行說，東漢有讖緯說，其後，佛教傳入，道教也進入經學之中。

賈逵的《左傳》讖說

起於東漢的緯，有可作爲學問來看的地方，但是讖則沒有用。光武帝的時代，學者所作，或天子所作，並不清楚，但光武帝時，有帶著所謂「四七之際火爲主」之文的人。根據這個，舉義兵幸而成功。因此，皇帝非常相信讖。讖是何人所作，或者附會古書，很像讖文的也有。一讀《後漢書》，有關讖的記載很多。說到爲何讖進入經書裡，光武帝覺得將《左傳》立於學官也可以，但因《左傳》並無讖文，不必將其立於學官。（《公羊》有，《穀梁》沒有）賈逵把《左傳》文公十三年的「其處者爲劉氏」，這是晉的士含在先前所謂令狐之役的晉和秦之戰中，被趙盾騙而逃到秦國。其後，晉有四方之難，不得不喚回士會而帶他回來。那時士會把帶去的人留下來，而自己回來，把留下來的稱爲劉氏，賈逵以爲《左氏》預知後來漢會統一天下，把這事上奏，在〈賈逵傳〉中有，但並不是賈逵這樣想，而是一種附會。這樣從《書經》和《左傳》中，找出類似未來記的東西，廣爲流傳的事，在漢代的學者經常有。

如前所述，東漢光武帝依讖文起兵成功，所以光武帝頗信讖，那件事影響到很多方面，也波及經學。

光武帝曾建靈臺，當卜其地時以讖作決定而問桓譚。桓譚云「臣不讀讖」，而極言讖不可信。因此，光武帝大怒，以桓譚非聖無法，而想殺他。桓譚叩頭流血謝過，才免一死。此事見於《後漢書・桓譚傳》。〈桓譚傳〉又說：

今諸巧慧小才伎數之人，增益圖書，矯稱讖記，以欺惑貪邪，詿誤人主，焉可不抑遠之哉。

桓譚這樣說光武帝信讖文。

又讖文中有「孫咸征狄」的句子。時孫咸為將軍，從來都稱「平狄將軍」，因此改官名為「征狄將軍」，此見於《後漢書・景丹傳》。如再翻翻《後漢書》，相關的記載有很多。光武帝中元元年，頒讖書於天下讓人閱讀的事，可在《後漢書・光武紀》見到。

《隋書・經籍志》依讖書正五經章句之說不可信

《隋書・經籍志》曾說，光武帝命其子東平王蒼，依讖書正五經章句，但今日的五經，並未見到讖。《隋書・經籍志》說，因俗儒流行，讖也更加興盛，那種書也出現更多，說五經者也依讖為說。但孔安國、毛亨、王璜、賈逵等人排斥讖的事也有記載。但這是〈經籍志〉的錯誤，所舉孔安國、毛亨，是指孔安國的《論語》、《書經》，毛亨的《詩傳》吧！因孔安國是西漢人，毛亨是戰國末年人，那時並無讖的事。只有對王璜、

張衡論讖書非聖人之法

煬帝燒讖書

讖文之例

賈逵所作的批判是對的，但所舉孔安國、毛亨則失當。因《隋書・經籍志》往往會有大錯誤，要特別注意。

光武帝之後，明帝、章帝也信讖書。所以，章帝時張衡上疏論讖書虛妄，非聖人之法，此事見於《後漢書・張衡傳》。他以爲讖書是前漢成帝、平帝時之物。張衡所以認爲是成、平以後，是因《漢書・藝文志》中讖書一本也沒有。

後來的隋煬帝非常討厭讖書，全部加以焚燬，持有讖書者皆令處死刑。今天，讖書是什麼樣的東西實在看不出來。又如何影響到經書的解釋，也很難弄清楚。《後漢書》的注引《春秋演孔圖》，可見到這樣的說法：

劉秀發兵捕不道，卯金修德爲天子。

卯金是劉字的偏旁，卯金刀的話，是劉字的隱語。又同樣是讖書之文：

代漢爲天子者當塗高。

這是說魏的事，魏闕是城前築高石作為防禦的門，這是從當道高這事而來，故意讓人看不懂而寫成的預言，實在是桓譚、張衡所說的毫不足道。

乙、緯學

緯和讖大不相同，可採者很多。緯是經緯的緯，經是織物的縱絲，緯是橫絲。因可補經書之意，緯書出現了，把有關它的學問稱為緯學。這也是從西漢末至東漢所盛行的學問，和經學的關係非常的密切。

以緯學說天

稱緯學為內學

東漢時代所謂的天人之學，學者依緯說天，依經說政治人道。經書中與天有關的幾乎沒有，僅以經書說天是不可能的。所以，當時重視緯書，稱經為外學，把緯稱為內學或內術。在東漢人的傳裡，說到「學通內外」或「學通天人」，就是指這個。在《莊子・天道篇》有「孔子繙十二經以說老聃」，陸德明《經典釋文》引或說云：

> 十二經，說者云，《詩》、《書》、《禮》、《樂》、《易》、《春秋》六經，又加六緯，合為十二經也。

緯學起於西漢末年，把莊子所見的十二經認爲是經緯實是錯誤。很多學者也依從這經緯說，實是失當。

煬帝燒緯書

緯和讖一起被隋煬帝焚燬，今日留傳下來的僅《易緯・乾鑿度》。所以，要詳述有困難。但孔穎達《五經正義》中，引了相當多的緯書。這些緯書雖被煬帝焚燬，但孔穎達時，緯書也還相當流行。根據這些材料來看，緯書跟六經都有關。另也有《論語緯》、《孝經緯》等。把散見於《五經正義》和《後漢書》注中的緯書輯集起來，可以分成下列三種事情：

緯書內容三種

1.上古的傳說。

2.有關天象祭祀之事。

3.依託經書而造作之事。

其中最無價值的是第三項，但前二項也不能一概加以拋棄。《書經》、《詩經》、《禮記》等書中，也有不夠詳細的地方，僅靠這些難以理解的很多，所以用緯來補經書不完整的地方，但那些要相信到什麼程度並不清楚。《十八史略》開頭的話也以緯書爲基礎。緯書是有如我國的《古事記》，有上古荒唐無稽的傳說，需考究的很多。

鄭玄的六天說本於緯書的傳說

上古的傳說是什麼樣的東西，在《周禮．大宗伯》，有說到昊天上帝，但昊天上帝是什麼，《書經》、《左傳》都沒提到。關於這點，鄭玄根據緯書把天皇大帝說成北辰。又在《周禮》五帝的鄭注，把五帝作爲五行之神而分成青、赤、黃、白、黑五個，而一一舉了名字，說是北辰周圍的星。如此，昊天上帝和五帝都是天，而也是星之名，鄭玄這種說法，《周禮》、《禮記．大傳》也可見到，所以依鄭玄之說，以前中國的天加上這個的話就有六個。這就是鄭玄的六天說。王肅攻擊鄭玄，說天祇有一個，以反擊六天說。鄭玄之說因也出於緯書，上古之人也是如此來看待天的吧！把這些來作研究是相當有趣的。

在《書經》的〈堯典〉，有「朞三百有六旬有六日」，這在緯書的《尚書．考靈曜》說：

> 周天三百六十五度四分度之一，而日日行一度，則一朞三百六十五日四分日之一。

這種說法和今日並無不同，是不能拋棄的說法。

到：

其次，依託經書而造的有很多，稍加舉例的話，在《公羊傳》最後的何休注可見

得麟之後，天下血書魯端門曰：「趨作法，孔聖歿，周姬亡，彗東出，秦政起，胡破術，書記散，孔不絕」，子夏明日往視之，血書飛爲赤烏，化爲白書。

徐彥的《疏》說是見於《春秋演孔圖》。這是依託孔子所作的《春秋》，而爲後人所作的書。

其次，關於《書經・堯典》的「曰若稽古」，孔穎達說：

鄭玄信緯，訓稽爲同，訓古爲天，言能順天而行之，與之同功。

依據這些，在緯書中是以古爲天。又孔安國〈尚書序〉的孔穎達《正義》，引《尚書緯》說：

孔子求書，得黃帝玄孫帝魁之書，迄於秦穆公，凡三千二百四十篇，斷遠取近，定可以爲世法者，百二十篇，以百二篇爲《尚書》，十八篇爲《中候》。

這段話也見於後漢趙岐的《孟子注》，但這應是本於緯書的話。又孔子的話也流傳著：

吾志在《春秋》，而行在《孝經》也。

這話本於《孝經緯》的《鈎命訣》。又：

求忠臣必于孝子之門。

這是緯書的話。又《後漢書・楊震傳》的注，可見到引《孝經援神契》：

母之於子也，鞠養殷勤，推燥居濕，絕少分甘也。

這些都是相當合理的話。

如前述，在緯書中有相當好的東西，所以東漢學者特別重視。宋歐陽脩上奏天子應刪去《五經正義》中之緯說，但並未被採用。此事見於文集及八家文。所幸當時不用歐陽脩之說，今日研究緯書才有可能。緯學研究本於《緯學源流考》。

六、古文經學勃興和五經通義

讖緯之外，東漢經學的特徵是古文經學勃興、五經通義兩點。

古文學勃興的理由

東漢時代的朝廷所立的經，依據石經來看，都是今文經，但民間一般的趨向是古文經。所以，到今日，東漢學者一般較受尊敬的鄭興、鄭衆、賈逵、服虔、許愼、馬融、鄭玄，都是古文家。說到這些人爲何能在學問上得勢，他們除兼學當時立於學官的今文經外，還研究古文經。鄭玄從第五元學《公羊春秋》，又從張恭祖學《韓詩》，然後又學古文，所以比起僅修今文經，他們的學問該博，識見高邁。這是東漢古文家壓倒今文家的理由。所以，像西漢古今文之爭的事，幾乎沒有。

五經通義的趨勢

其次，西漢是一經專門，但是張禹折衷《齊論》和《魯論》，作《張公論》，這趨勢到東漢更加興盛，如馬融，作《書》、《周禮》、《儀禮喪服傳》及《論語》的注，又著《三傳異同》（今佚）。馬融的門人鄭玄注《書》、《毛詩》、《周官》、《儀禮》、《喪服經義》、《禮記》、《論語》等，許愼著有《五經異義》。今文家何休著有《公羊墨守》、《左氏膏肓》、《穀梁廢疾》。這些在經學來說，僅是《春秋》學，但涉及三傳之說。鄭玄對這些書，又作《公羊發墨守》、《左氏箴膏肓》、《穀梁起廢疾》。像這些擴大了東漢經學研究的範圍。

第三章　三國的經學概觀

一、正始石經

三國時代，從魏文帝黃初元年至魏元帝咸熙二年，僅四十六年相當短的時代，但因在後漢古學勃興之後，比較起來學者較多。《左傳》研究家杜預，《國語》的韋昭，《易》的虞翻、王弼，《論語》的何晏，這些都可以說是三國時代的學者。杜預、何晏放入晉也可以，但現在放在三國時代來談。這些學者是承東漢古學勃興之後，開晉代學問的重要人物。三國以來老莊思想進入經學，以此來說經的事非常流行，但實由王弼、何晏開其端緒。

以老莊思想解經

又三國時正始石經出現，現在，先談石經。

古文學隆興和正始石經

東漢時代古文學興盛的事已如前述，但是朝廷尊奉今文，所以靈帝時的熹平石經，全部是今文。到三國時代古文經學大盛，研究古文的學者增加很多，這在《三國志》中可看得很清楚。

漢末的兵亂，熹平石經被破壞，所以魏齊王芳正始年間，又作石經，這叫「正始石經」，《三國魏志》王肅傳的注，引魚豢的《魏略》說：

> 至黃初元年之後，新主乃復始掃除大學之灰炭，補舊石碑之缺壞。

而這和正始石經完全是另一東西，應該注意不可混同。

魏的黃初年間作石經的事，《三國志》的《魏志》、溫公《通鑑》皆未見，只見於《晉書·衞恆傳》：

> 正始中立三字石經。

根據這個，是立古文、篆書、隸書的三體石經。這是始見於史書。衞恒是對書道有研究的書法家，我想應是不會有錯。現在，還可以看到石經的幾個殘留的拓本。依拓本來看，例如說到「春王正月」，春字用古文、篆書、隸書來寫，王字、正字、月字都相同，是相當難讀的。如像這樣，五經全部完成的話，刻石的數目必很多，也要花費相當的年月。但從正始不久魏就亡國了。又魏亡之後，去過太學的人的記行文說刻石之數有五十二枚。又也有說四十八枚。又兩面書寫。但如果五經全部刻的話，這樣的枚數並無法結束。現在殘留下來的拓本，可見到《書經》、《春秋左傳》。王國維以爲正始石經並非全部。我認爲《左傳》也並非全部。無論如何，正始石經中字體已有古文，所刻的經書也有了古文的《左傳》。這是什麼樣的理由？就是三國時古文流行的證據。關於石經，因有很多的學者作過考證，詳細的事就不談。熹平石經是今文，正始石經的三體中有古文，把古文的《左傳》收進去，我想在經學史上是件好事。

在《後漢書》中，熹平石經是三字石經，這是很大的錯誤，熹平石經是一字石經，正始石經才是三字石經。要說爲什麼的話，後漢時代應該沒有古文石經的道理。

二、三國諸家的經說

杜預、韋昭發揮古文家的面目

三國時代的學者杜預，作《春秋左氏傳集解》、《春秋釋例》、《春秋長曆》等有關《春秋》的書，是建立《春秋》和《左傳》一家之說的人。韋昭作《國語》的注。杜預、韋昭實是發揮古文家面目的人，即使在今日也無人能出其右。在杜預之前，《春秋》是《春秋》，《左傳》是《左傳》，但至杜預，依《春秋》之紀年來分割《左傳》。如此將經傳合在一起，所以它的集解，並非普通集解的意味。

虞翻、王弼的《易》注

其次，關於《易》要說明的是，東漢時代的《易》注，一般用荀爽、鄭玄的注，但到三國時代虞翻作《易》注，在荀爽、鄭玄之外，建立一家之說。這就是虞氏《易》。又作《易注》的王弼也是三國人。如前所述，漢《易》是從占來看出吉凶，但王弼拋棄那些，而用義理來解《易》。接著何晏作《論語集解》，也是經學上開了新例。那是以前的學者

何晏開經學上一新例

謹守一家之說，和漢的專守一經相異的是，他們看過很多本子，而注卻謹守一家之說。用一家之說來讀的話，他的說法有好有壞。因此，見到諸家的注，而用自己的見識來作決定是當然的事，但是在何晏之前並不是那樣，說到是什麼原因的話，我想那

王弼以老子思想說《易》的義理

是不是西漢的家法風習在那時候還遺留著呢？到何晏時打破這家法，在《論語集解》裡，馬融、孔安國、鄭玄，他認爲是對的就加以採用。從學問的進步來說，這是理所當然的。以後，這樣的注解也紛紛出現。

王弼的《易》以義理來解釋是很好，但王弼作《易注》之前，曾作《老子注》。所以，在《易注》中時時有《老子》的思想。例如，《易》的〈比卦．繫辭傳〉的注，就有《老子》的思想。〈繫辭傳〉採用韓康伯的注。韓康伯是晉朝時代的人，王弼的門人。〈繫辭傳〉說：

一陰一陽之謂道。

注云：

道者何？无之稱也。

在《正義》中，一陰一陽是无陰无陽。這種說法，是完全超越陰陽，可說完全是《老子》

之風。《易》中並沒有說到無。說到無是在《老子》、《莊子》、《列子》裡。像這樣的事，韓康伯的注裡非常多。所以把王弼的《易》稱爲「老易」。義理是義理，但已混雜了《老子》的義理。

何晏以老莊思想注《論語》

《論語．述而篇》說：

子曰：志於道，據於德，依於仁，游於藝。

何晏的注說：

道不可體，故志之而已。（中略）藝，六藝也。不足據倚，故曰游。

又〈先進篇〉說：

子曰：「回也，其庶乎，屢空。」……

何晏的注說：

> 空，猶虛中也。

所謂「道不可體」、「六藝不足據倚」、「空猶虛中」，都不是孔子的想法，而是用莊子來解說。何晏的注裡，往往有這種情況。

在《周易折中》的凡例裡，批評王弼的《易》說：

> 漢、晉間說《易》者，大抵皆淫於象數之末流，而離其宗，故隋、唐後惟王弼孤行，爲其能破互卦、納甲、飛伏之陋，而專於理以譚經也。然弼所得者，乃老、莊之理，不盡合於聖人之道。

清談派的起源

像這樣以老、莊之學說經書的事，從三國時代開始，至晉代愈來愈盛。最後產生清談派。清談比起老子來，採用莊子的比較多，在中國產生很大的禍害。

鄭玄、王肅之學的不同

王肅是三國時代的人。王肅也是古文家，但物盛必然會分裂，古文學流行的過程中，遂有王肅和鄭玄之分，而後是王肅和鄭玄對抗。在王肅的傳裡，說他好賈逵、馬融之學，而不好鄭玄。王肅把鄭玄作過注的經書都作注，此外，又作《聖證論》，每每反對鄭玄。但王肅的注本及《聖證論》，今日皆已亡佚，只有《正義》中所引的《聖證論》及王氏的注。從這些，鄭、王二家的不同也可以看出來。今省略訓詁上的不同，舉其大者二三事：

1. 禘郊的問題。
2. 武王崩時成王的年齡。
3. 廟數。
4. 三年喪期。

關於以上的問題，要詳說的話是非常麻煩的事，現在大概談談。

第一是禘郊的問題。《禮記．祭法》對於這一問題，有這樣的記載：

> 禘黃帝而郊嚳，祖顓頊而宗堯。

鄭玄對祭天的祭名是什麼，說：

> 禘郊祖宗，謂祭祀以配食也，此禘謂祭昊天於圜丘也。祭上帝於南郊曰郊，祭五帝五神於明堂曰祖宗。

而黃帝、嚳、顓頊、堯是祭天時合祭的人。就這來看，天是上帝和五帝，即有六個天。王肅攻擊這個，以爲天祇有一個，所謂六天說是荒唐無稽，此見於〈郊特牲〉的《正義》。

第二是武王崩時成王的年齡。這是《禮記・明堂位》中的問題，鄭玄說是十歲，王肅說是十三歲。王氏之說見於《正義》。

第三是廟數問題。《禮記・王制》說：

> 天子七廟。

鄭玄注說：

> 此周制，……殷則六廟，……夏則五廟。

王肅說夏、殷、周都是天子七廟。

第四是三年喪期的問題。鄭玄說是二十七個月，王肅說是二十五個月。這見於《儀禮・士虞禮》、《禮記・檀弓》的《正義》。原來是二十六個月多二三日，鄭玄把它當作二十七個月，王肅則作二十五個月。

王肅僞撰《家語》

像這樣在東漢被固定的古文家的經說，到王肅出來又開一派而造成相爭。王肅又僞撰《孔子家語》以證成己說。從這樣的事來看，並不是爲學問的眞相來和鄭玄相爭，可說出於私心。但王說也不能拋棄，可取的也很多，不可因人廢言。

鄭、王二家的不同是鄭玄信緯書，依從《左傳》、《周禮》，王肅不信緯書，依從《穀梁傳》。用這種理由來分別的也有。所以不能說完全出於他的私心。唐李鼎祚的《周易集解》中，說鄭玄多本於天象，王肅的注則是以人事來說，這也是兩家的不同。總之，王肅也是堂堂的大學者。

第四章　兩晉的經學概觀

一、西晉的經學概說

在西晉時代，眞正努力研究者幾乎沒有，祇不過本於鄭玄、馬融的古文家研究《三禮》、《論語》、《孝經》，其他都是兼學老、莊的人。

《晉書・儒林傳》說：

> 晉始自中朝，迄于江左，莫不崇飾華競，祖述虛玄，擯闕里之典經，習正始餘論，指禮法爲流俗，自縱誕以清高，遂使憲章弛廢，名教頹毀。

學者多兼學老莊

裴頠、王坦之、范寧攻擊清談派

即在西晉也如此。西晉僅五十一年即滅亡，由東晉取代。學者杜預、何晏也可以把他們列入西晉，此外，已沒有其他人。此時，因僅老莊之學盛行，而有心人以爲此種學問沒有用，非做堅實的學問不可，在《晉書》中可以發現很多這種說法。其中裴頠作〈崇有論〉。〈崇有論〉是攻擊阮籍、王衍等清談派的文章，《晉書．裴頠傳》和《通鑑》有刊載。又王坦之作〈排莊論〉，見於《晉書》的傳。范寧對當時的風習，認爲使儒學虛浮的是始於王弼、何晏，兩人之罪甚於桀紂。這見於范寧的傳。像這樣只尊崇自由、自然，而嫌棄仁義道德等，是出於竹林七賢等人。竹林七賢等在當時被說成賢人，而決非賢人。由於經學變成如此，遂導致五胡十六國之亂，因而爲了敉平這些，需要約二百七八十年。我想如果沒有引導人心的學問，不論什麼國家，一定也會像晉朝那樣的下場。

二、東晉的經學概說

元帝建大學

東晉也和西晉幾乎一樣，但有一件可說的是，元帝建武元年建大學。又太興四年置《周禮》、《儀禮》博士，見於本紀。但是，有點奇怪的是，建武元年建大學的話，並沒有不立博士的道理，又太興四年立《周禮》、《儀禮》博士的話，在之前，當然也沒有不立《詩經》、《書經》博士的道理，但兩者都未見。只見到《晉書・荀崧傳》說：

> 時方修學校，簡省博士，置《周易》王氏，《尚書》鄭氏，《古文尚書》孔氏，《毛詩》鄭氏，《周官》、《禮記》鄭氏，《春秋左傳》杜氏、服氏，《論語》、《孝經》鄭氏，博士各一人，凡九人。其《儀禮》、《公羊》、《穀梁》及鄭《易》，皆省不置。

這是當然的吧！

立古文於學官

如果這是事實的話，建武元年所立的大部是鄭注的古文。古文被立於學官是由這裡開始。可注意的是，元帝時的孔安國《古文尚書》的注全部是僞作。那在當時誰也不注意而被立於學官，這是因當時流行古文，沒有詳細研究而立於學官吧！

在東晉的話，說到老師很認眞來教經學，其實也不見得。在《晉書》中往往記錄有不認眞的事。當時老莊學非常盛行，只是對詩文有較大的幫助。

經學的衰微和詩賦的內容

看詩的話，一直到漢代的詩，和《詩經》的詩相同的很多。但一到這個時代，超越人世的思想家紛紛出現，像陶淵明是其中之一。在經學中，超越人世的想法絕對沒有，因此，這兩者絕對衝突。老莊思想和詩賦盛行，即反映了經學的衰微。

第五章　南北朝經學概觀

前述從三國到隋的三百五六十年既叫六朝，也叫南北朝。六朝是三國的吳和東晉、宋、齊、梁、陳。南朝是建都楊子江南部的國家，北朝是建都長安、洛陽的國家。南北朝恰好把現在的中國分成兩半，但是有其他的小國十六國。這叫五胡十六國。

南北學者態度的不同

現在要談六朝的經學，寧可把它當作南北朝的經學來談，比較容易。《隋書．儒林傳》論南北朝學風說：

南北所治，章句好尚，互有不同，江左《周易》則王輔嗣，《尚書》則孔安國，《左傳》則杜元凱。河、洛，《左傳》則服子慎，《尚書》、《周易》則鄭康成，《詩》則並主於毛公，《禮》則同遵於鄭氏。大抵南人約簡，得其英華，北人深蕪，窮其枝葉，考其終始，要其會歸，其立身成名，殊方同致矣。

此事《北史·儒林傳》也有相同的說法，由南人約簡得其英華，北人深蕪窮其枝葉的批評來看，南方是總括而得其大意，北方是作細心的研究。這就是南北學者的態度。因此，在選經書時，南方對《書經》的注，並沒有好好地研究，而採用孔安國的注，這就是那樣的風氣吧！

義疏學的產生

南北朝時代老、莊、佛學有相當的勢力，南朝的梁武帝、北朝的道武帝，都是喜好學問的君主，而置博士來教他們，但都是喜好佛學的人，想研究經學眞正面貌的人並沒有。所以，能立一家之言的人並未出現。因此，取從東漢至三國間先儒的注解再作注的學風興起了，即稱爲六朝義疏學的東西。

南北朝的學者

從六朝至隋的學者都是義疏學者。看《隋書·經籍志》，批評義疏者一個也沒有。今日留傳下來的是皇侃的《論語義疏》流傳到日本，《禮記義疏》九十九卷雖見於《隋書》，但今日在日本僅殘存一二篇。此外，整個南北朝一本也沒留下來。舉南北朝的學者來看的話，南朝有伏曼容、崔靈恩、沈文阿、皇侃，北朝有劉獻之、徐遵明、沈重、熊安生、劉炫、劉焯等有名的人。他們的說法時見於皇侃的《疏》，但因不夠仔細，所以不能作批評。劉獻之也作《涅槃經》的注，沈重也通道教、釋典。其中也有治讖緯學的人。

附：隋的經學概觀

文帝的儒學復興計畫

隋滅北朝的後周而統一天下，但僅三十七年即滅亡。因此，隋代之學可述的不多。文帝一即位即興建學校，聚集南北的學者。又一面蒐集書本，一面加以校定。在《儒林傳》裡，是後漢以來從未見到的。但是，文帝晚年篤信佛教，不好儒術，所以地方學校廢馳，即使在京城，大學僅留一所，學生僅有七十二人。而後十七年隋朝滅亡。又文帝的計劃到唐代才實行。

蘇綽的建言和後周的政治

在北朝的宇文周，有叫蘇綽的學者，他是有堅實學問的人，但大家不把他當作學者而當作政治家。蘇綽上奏給國君的長文，現在還保存著，是很堂皇的文章。根據他的建言，宇文周用《周禮》的制度來處理行政。隋消滅後周，但也沿襲後周，不久滅亡，唐取而代之。唐也沿襲隋的制度，終於完成六典。即六典是由宇文周傳下來，我國的《大寶令》即以六典爲基礎而完成。蘇綽說是學者並沒有著作，但有眞正學者的態度。

王通是假託之人嗎？

隋有所謂王通的人，這人的事情歷史上並沒有人好好下論斷。或者被認爲是假託的人，或者是大學者，唐的元勳都是他的弟子，他有所謂《文中子》的著作，但我想也是假託的人吧！如果是實有其人的話，我想那文中子是眞正的學者吧！

第二篇

唐宋的經學史

諸橋轍次 述

林慶彰
連清吉 合譯

第一章　唐代經學概觀

一、唐代文化的大勢

唐文學的多彩多姿是在律語

甲、唐文化是律語

唐代的文化，大體有花費在文學事業的感覺。韓退之、柳宗元提倡古文復興，又由他們來實現的事，形成文化開展的一個特色。但其中唐代文學的光彩方面是在律語，即詩的方面。宋計有功所編集的《唐詩紀事》中，列舉當時的詩人一千一百五十家，清康熙帝所編集的《全唐詩》中，列舉當時的詩人二千二百家。由這些來看，律語即詩方面的文學，在唐代是如何的興盛，我想大體也可以看得出來。

在一般的歷史所見到的，唐時代大體區分爲初唐（從高祖起約百年間）、盛唐（玄宗開元元年以後約五十年間）、中唐（從代宗大曆元年起約八十年間）、晚唐（宣宗大中元年起，迄唐滅亡約八十年間）約四大時期。這是唐時代區分的大概情形。說到它的區分是以什麼作爲標準，這是以詩的盛衰、風格的變遷作爲基調。因此，說唐一代的文學，全是律語，即詩的方面，也非過分之言。總之，以這種詩爲中心的文學發展，實是李唐三百年歷史的菁華。

乙、三教融化的思想界

反過來觀察唐方面的思想，我想這大體是儒、佛、道三教，從原本的分立而朝向漸次融和調合的過程。這之前的佛教，在六朝、隋代已達到極盛，這種興盛之勢到了唐代，一到第二代的天子太宗，爲了追善供養穆太后而到弘福寺，自己稱菩薩戒天子。因此，可以把它當作接受原來六朝、隋的餘勢。而不必刻意把它認爲是唐朝的新事實。反之，道教一到這時代突然得勢。當然，道教在唐之前也已流行，但他的極盛沒有能超過這時代。高宗上元元年，出現的天后上章①，書中曾說：「內外百官，皆習《老子道德經》，其明經，咸令習讀，一准《孝經》、《論語》」。這一意見通過，翌年

唐的時代區分基於詩的盛衰

唐代佛教流行是前代的餘勢

高宗的明經科用《道德經》

即上元二年，明經科全部考《老子》策二條，考進士科者三條。同樣地，高宗儀鳳三年下詔，今後《道德經》、《孝經》，一併加入稱爲上經。所謂上經，是將經書分爲上、中、下三等中的一種。同樣地，高宗永淳二十一年②，下詔士庶家每家藏《老子》一本，舉人的考試，停止以前的《尚書》、《論語》的一部，而代之以《老子》。後玄宗開元二十三年，御注老子，更作《疏義》八卷，以表示崇老之意。特別是玄宗天寶元年，曾下詔特別的學生以外停止以《老子》考試，而代之以《爾雅》，但德宗貞元元年③，又下詔說：「比來所習《爾雅》，多是鳥獸草木之名，無益理道，自今已後，宜令習《老子道德經》以代《爾雅》。」從這種科學的方法來看，唐代道教的大概情形，我想應是很分明的。本來唐的姓是李氏，老子相傳也是李氏。因此，唐朝由崇事祖先，因而想究明治道，而復興了道教。到了高宗，這種趨勢最明顯，甚至稱自己爲「太上玄元皇帝」。

三教調和論始於南北朝

儒教受道教壓迫而不振

說到儒、佛、道三教的調和，大體上從南北朝的齊、梁時代就已倡行的事，但當時佛教最盛，儒教次之，道教僅有其名，而未達到名符其實的程度。但是，如上所述，一到唐代，突然興盛，這裡舉出了三教鼎立的事實。從思想界全體的發展來說，由異教的混融來看，有相當的進步，但從儒教方面來看，因受道教的壓迫卻呈現了萎靡不振的樣子。

【附註】

①上元元年……天后上表曰：「伏以聖緒出自元元，五千之文，實惟聖教，望請王公以下，內外百官，皆習《老子道德經》，其明經，咸令習讀，一准《孝經》、《論語》，……至二年，明經咸試《老子》策二條，進士試帖三條。」（《唐會要》卷七十五，貢學上明經）

②永淳二十一年，勅令士庶家藏《老子》一本，每年貢舉人，量減《尚書》、《論語》一兩條策，加《老子》策。（同上，帖經條例）

③貞元元年，比來所習《爾雅》，多是鳥獸草木之名，無益理道，自今已後，宜令習《老子道德經》以代《爾雅》。（同上，明經）

二、經學史上的事實

高祖小學的建立與先儒子孫的登用

太宗的建立弘文館

外夷入學國學

尊崇孔子

甲、帝王的獎學

像前面所說，唐代的經學界並沒有那麼繁榮，但高祖和太宗，因是英明之君，在學問獎勵上，很下工夫。高祖武德元年，在祕書省之外，下詔爲皇族子弟和功臣子弟立小學來教育他們，同樣的，在高祖的時代，過去的學者，例如：梁皇侃、隋劉炫等學者的子孫，下詔特別晋用。又太宗貞觀五年以後，每次行幸國學或太學，都獎勵學問。特別是太宗，集天下學者十八人建立弘文館。選入杜如晦、房玄齡、陸德明、孔穎達等人，每天討論研究典籍。當年畫界的巨匠閻立本爲這弘文館十八學士畫像，同是十八學士之一的褚亮爲畫像作贊，這是向後世表示當時學界偉大事業，也相當有名。

太宗這樣的獎勵學問以後，上有好之者下必甚焉。當時稱爲外夷的高麗、百濟、新羅、高昌、吐蕃等的地方酋長，都志願派遣子弟入國學就讀。

這是對一般學問的獎勵，對儒學宗師孔子的尊崇也興盛起來，高祖武德二年①下詔云：「盛德必祀，……宜今有司於國子監，立周公、孔子廟各一所，四時致祭。」到了貞觀二年②，採房玄齡、朱子奢的建議，把武德年間以周公爲先聖，孔子配享的

賢哲二十二人配祭孔子

制度廢去，而取代周公，以孔子爲先聖，以顏回配享，他們的建議被採納。此後，經常以孔子爲先聖來奉祀，貞觀二十一年，以二十二賢哲來配享。這些人，與經學最有關係的是左邱明、卜子夏、公羊高、穀梁赤、伏勝、高堂生、戴聖、毛萇、孔安國、劉向、鄭衆、杜子春、馬融、盧植、鄭康成、服子愼、何休、王肅、王輔嗣、杜元凱、范寧、賈逵。又祭祀孔子，即釋奠，因在高祖武德七年、太宗貞觀十四年，各有一度親臨，以後皇帝親臨也成爲常例。

王室的獎學並不亞於其他時代

因爲這樣，我想王室獎勵學問決不輸於其他時代。

乙、典籍的尊重及修撰

令狐德棻的上奏

其次，說到對典籍的尊重。首先，在高祖武德五年③，令狐德棻上奏，其內容說：「今乘喪亂之餘，經籍亡逸，請購募遺書，重加錢帛，增置楷書，專令繕寫。」

魏徵的校定四部書意見

在太宗貞觀二年④，魏徵上奏的內容大抵相同。而魏徵更勸皇上校定四部書。四部書就是置於弘文館的經、史、子、集祕書。這意見在高宗乾封元年實現，由趙仁本、李懷嚴、張文瓘等學者，依詔從事校定。

睿宗探索天下

睿宗景雲三年，因當時經籍殘缺得很厲害，下詔選京官中有學行者，分巡天下，

圖書

玄宗令整理內庫之書

文宗的開成石經

修撰事業

探索圖書。玄宗開元三年⑤，當時陪玄宗宴會的褚無量、馬懷素二人，談到典籍殘缺的事。玄宗深感典籍不受尊重，令兩人整理內庫書。開元七年也發布同一意思的詔令。弘文館的四庫典籍多到什麼程度，並不清楚，但據開元九年的調查，總計有八萬一千九百九十卷。其中，經庫一萬三千七百五十三卷、史庫是二萬六千八百二十卷、子庫是二萬一千五百四十八卷、集庫是一萬九千八百六十九卷。但十三年後的天寶三年，因兵亂的影響，經庫減至七千七百六卷、史庫一萬四千八百五十九卷、子庫一萬六千二百八十七卷，集庫一萬五千七百二十二卷。唐代大體可認爲是太平之世，但也偶有動亂，因爲那樣，典籍時有喪失，當時帝王及有識者，努力去蒐集也是當然的事。

文宗開成年間，刻開成石經立於大學，也是尊重典籍不可忽略的事。

又就修撰事業略加觀察，在唐代所作的相當大的修撰事業，它的成就一直傳到現在的，有相當的數量。高祖武德七年，歐陽詢奉詔修撰《藝文類聚》一百卷，太宗貞觀五年，魏徵著《羣書治要》五十卷；十三年，李襲譽著《忠孝圖》二十卷；十五年，中國公等撰《文思博要》千二百卷；又二十三年，太宗皇帝親撰《帝範》十三篇。這《帝範》是爲了賜給皇太子而修撰，但當時說是「聖躬闡政之道，備在其中矣。」內容全部由儒敎來垂敎。高宗永徽三年，顏師古著《匡謬正俗》八卷；高宗顯慶二年，許敬宗著《文翰詞林》一千卷；高宗龍朔三年，竇德元著《瑤山玉彩》五百卷。玄宗開元十五年，徐堅等奉敕編《初學記》三十卷；開元二十七年，張九齡等同奉玄宗敕篇《唐六典》三十卷；代宗大曆十二年，顏眞卿著《韻海鏡原》三百六十卷；德宗貞元十九年，杜佑撰《通典》二百卷。這些全部是唐代的重要著作。這些之外，個人修撰的典籍也有許多，從它們在《全唐文》中所載的書名、文例看來，是相當好的。大體來說，唐的編撰工作，比起其他時代，並不會太少。但如限於經學，和下一朝代的宋朝相比，不論在量或在質上，不得不感嘆有很大的遜色。

【附註】

①武德二年……詔曰：「盛德必祀，義在方册，……宜令有司於國子監，立周公、孔子廟各一所，四時致祭。」（《唐會要》卷三十五，褒崇先聖。）

②武德中，……以周公爲先聖，孔子配享，……請停祭周公，升夫子爲先聖，以顏回配享。（同上）

③武德五年，令狐德棻奏：「……今乘喪亂之餘，經籍亡逸，請購募遺書，重加錢帛，

增置楷書，專令繕寫。」（同上，經籍）

④太宗貞觀二年，魏徵奏：「……以喪亂之後，典籍紛雜，奏引學者，校定四部書。」（同上）

⑤玄宗開元三年，褚無量、馬懷素侍宴，言及內庫及祕書墳籍。上曰：「內庫書，皆是太宗、高宗前代舊書整比，日常令宮人主掌，所有殘缺，未能補緝，篇卷錯亂，檢閱甚難，卿試爲朕整比之。」（同上，經籍）

三、經學界的一風潮

唐代經學的特色是有實學的傾向

唐代經學界所表現的學風，大抵如下面所述《五經正義》，是維持以漢代訓詁爲主的學風，作爲其所重視的潮流。從這一點來說，唐代的經學界說是漢代經學界的流裔也不爲過。但是，經過數百年的歲月，是什麼樣？或有不得不導致別方面的傾向。如果唐代和後漢訓詁學有若干不同的話，它有想成爲實用之學的傾向。

王師旦的試驗標準

太宗貞觀二十二年時①，進士張昌齡、王公瑾有才名。當時，王師旦爲主考官，考試結果這兩名都落選。太宗怪而問之，師旦冷靜的回答說：「此輩誠有文章，然其體性輕薄，必不成令器。」太宗深感得此名言。這當然是一段故事，但學問不僅止於文章訓詁，必也要考慮到實用，這點在當時也是既已存在，且是最好的例子。

高宗詔告明經家不可暗於治跡

高宗永淳二十五年②下詔云：「今之明經進士，即古之孝廉秀才。近日以來，進士以聲律爲學；明經之士多暗於古今治跡，此宜深戒。」又前引德宗貞元元年下詔以《老子道德經》代替《爾雅》，由前文所述，唯一的理由是《爾雅》無益於理道。即使從這等例子來看，當年的學風也不僅止於文學訓詁，是可看出想更有益於世用。這種學風的興起，德宗時代好像最明顯。在建中二年③，趙贊爲此事上奏，貞元十三年④顧少連也有同樣的建議。從這裡，當時經學即實學的機運的大勢已開始啓動，這是大家應該知道的。

于休烈、裴光庭論贈金城公主經籍之可否

玄宗開元十九年，鈔寫《毛詩》、《禮記》、《左傳》、《文選》各一部，爭論贈或不贈金城公主⑤，此事見於《唐書．于休烈傳》。當時擔任祕書正字的于休烈上奏，斷然說不送書。那奏疏說：「戎狄，國之寇；經籍，國之利器。國之利器不可示人。聖人以爲名與器不可假於人。假於人，必爲戎狄所用。受其利用，將有損於我國，必不得已非給不可，則《春秋》不可給人。」對此，裴光庭加以反駁，戎狄和我國始終不守約束，那是不懂禮經，也不懂德義。所以，要求如《詩》、《書》的教典，是可以斷禍根之事。根據這點，是可以送書。看這兩人的爭論，贊否兩邊來觀察，已是非以六經爲實學不可，當年學風的傾向已可看得出來。

【附註】

①王師旦，知舉時，進士張昌齡、王公瑾，並有俊才，聲振京邑，而師旦考其文策，全下，舉朝不知所以。及奏等第，太宗怪無昌齡等名，因召師旦問之。對曰：「此輩誠有文章，然其體性輕薄，文章浮豔，必不成令器，臣若擢之，恐後生相效，有變陛下風雅。」帝以爲名言，後並如其言。（《唐會要》，貢舉中進士）

②永淳二十五年二月，詔：「今之明經進士，則古之孝廉秀才，近日以來，殊乖本意，進士以聲律爲學，多昧古今，明經以帖誦爲功，罕窮旨趣，安得爲敦本復古，經明行修，以此登科，非選士取賢之道。」（同上，貢舉中帖經條例。）

③建中二年，……趙贊奏：「……舉人明經之目，義以爲先，比來相承，唯務習帖，至于義理，少有能通，經術寖衰，莫不由此。」（同上，貢舉上明經）

④貞元十三年，……顧少連奏：「伏以取士之科，以明經爲首，教人之本，則義理爲先，至於帖書及以對策皆形文字，並易考尋。」（同上，貢舉上明經）

⑤吐蕃金城公主，請文籍四種。玄宗詔祕書寫賜，休烈上疏曰：「戎狄，國之寇；經籍，國之典也。戎之生心，不可以無備。昔東平王求《史記》、諸子，漢不與之，以《史記》多兵謀，諸子雜詭術也。東平，漢之懿戚，尚不示征戰之書，今西戎，國之寇讎，安可貽以經典。且吐蕃之性，慓悍決意，善學不回，若達於《書》，則知戰，深於《詩》，則知武夫有師干之試，深於《禮》，則知《月令》有廢興之兵，深於《春秋》，則知用師詭詐之計，深於文，則知往來書檄之制，此何異假寇兵、資盜糧也。臣聞：魯秉周禮，齊不加兵，吳獲乘車，楚屢奔命，喪法危邦，可取鑒也。公主下嫁異國，當用夷禮，而反求良書，恐非本意，殆有姦人勸導其中。若陛下慮失其情，示不得已，請去《春秋》。夫《春秋》當周德既衰，諸侯盛彊，征伐競興，情僞於是乎生，變詐於是乎起，有以臣召君，取威定霸之事，誠與之，國之患也。狄固貪婪，貴貨易土，正錫以錦綵，厚以金玉，無足所求以資其智。」疏入，詔中書門下議。侍中裴光庭曰：「吐蕃不識禮經，孤背國恩，今求哀稽顙，許其降附，漸以《詩》、《書》，陶以聲教，斯可致也。休烈但見情僞變詐於是乎生，不知忠信節義亦於是乎在。」帝曰：「善。」遂與之。（《唐書．于休烈傳》）

第二章　五經正義

一、成立的過程

甲、顏師古的正文考定

太宗命顏師古考定經籍

唐代經學史上最大的事情之一是修定《五經正義》。在《正義》成立之前，顏師古的考定五經正文，是和這有關，且不可忽略的事實。依《貞觀政要》卷七〈崇儒學〉①，貞觀四年，太宗以經籍去聖久遠，文字舛訛為憂，乃命顏師古在祕書省考定五經。完成後，太宗以考定結果詔諸儒論議其是非，時學者傳習師說，舛謬已久，並不肯定顏師古之說，顏師古舉晉、宋以來古本加以證明，其他學者全部嘆服。關於此事，《舊唐書・儒學傳》②、《唐書・顏師古傳》③的半部，都有記載。

《正義》的所謂今定本

顏師古的考定事業是《正義》完成的第一步

這考定本在貞觀七年頒布，作爲近來學界所遵奉。（《舊唐書》）今日《五經正義》中，所說「今定本」，即指此書。此事，段玉裁〈十三經注疏釋文校勘記序〉④已有討論。沒有本文的考定，《正義》也沒有完成的理由。因此，顏師古的這種考定事業，可以把它當作《五經正義》成立的前提，或是第一步來看。

乙、孔穎達等的撰修

《五經義疏》撰定的意義

參與撰定義疏的學者

顏師古考定五經以後，太宗又於貞觀十二年⑤，命孔穎達等撰定《五經義疏》百八十卷。這是因爲當時儒學多門，章句繁雜，無所歸趨，所以想爲其統合整理。這在《舊唐書・儒學傳》有記載。又根據《舊唐書・孔穎達傳》，當時孔穎達和顏師古、司馬才章、王恭、王琰等奉詔參加，但《正義》的孔穎達〈序〉所載，參與《疏義》的人，實際上又加上以下諸人，即《易疏》是馬嘉運、趙乾叶；《書疏》是王德韶、李子雲；《詩疏》是王德韶、齊威；《禮記疏》是朱子奢、李善信、賈公彥、柳士宣、范義頵、張權；《左傳疏》是谷那律、楊士勛、朱長才等人。這些人在〈孔穎達傳〉中並沒有名字。孔〈序〉所載的人恐怕是作爲補助工作者而列記。因此，在孔〈序〉中，有這樣的行文：

「仍恐鄙才短見，意未周盡，謹與……馬嘉運、……趙乾叶等，對共參議。」（〈易序〉）

《五經正義》完成的年代

《五經正義》的制定，如上所述，是始於貞觀十二年，它的完成是在什麼時候？《通鑑》說是貞觀十四年，《冊府元龜》說「數年乃成」，並未明記完成之年，但從貞觀十六年詳悉更定這一點來看，大概是在十五年左右已先告一段落的看法是適當的。總之，這是《正義》成立的第一段，而另有第二步。

丙、馬嘉運等的更定和長孫無忌等的再更定

《正義》的第一次更定

根據《唐書·孔穎達傳》，這《正義》完成後，太學博士馬嘉運⑥駁正其失。因此，下詔再詳定。根據《正義》的孔穎達〈序〉，那年是貞觀十六年。而參與詳定的人，實際上是修前疏的人之外，如下邊所加的人。即《易》是蘇德融，《書》是朱長才、蘇德融、隨德素、王士雄，《詩》是趙乾叶、賈普耀，《禮記》是周玄達、趙君贊、王士雄，《左傳》是馬嘉運、王德韶、蘇德融、隨德素。這即是第一回的更定。

《正義》的第二次更定

後來，孔穎達卒於貞觀二十二年，但《正義》在永徽四年又作第二次的更定。根據《唐會要》⑦及《唐書·孔穎達傳》⑧，永徽二年三月，下詔由長孫無忌及中書門下國子

三館博士、弘文博士參加刊正《正義》，而根據《抱經堂叢書》所收《羣書拾補初編》中的北宋單疏本，從上表文所載是永徽四年長孫無忌等奉勅刊正《五經正義》。文中所列參與諸人，實如左列：

長孫無忌、李　勣、于志寧、張行成、高季輔、褚遂良、柳奭、谷那律、劉伯莊、王德韶、賈公彥、范義頵、柳　宣、齊　威、史士弘、孔志約、薛伯珍、鄭祖玄、隨德素、趙君贊、周玄達、李玄植、王真儒。

這些人是誰擔任那一經，並沒有明顯的記載，只說：「上稟宸旨，傍摭羣書，釋《左氏》之膏肓，翦古文之煩亂，探曲臺之奧趣，索《連山》之玄言，囊括百家，森羅萬有」。分屬之經，實無從知道。但經此更定，《五經正義》可說是集大成。這樣，在永徽四年三月壬子朔，頒於天下⑨，《舊唐書・高宗本紀》有詳載。後來，明經考試，大抵根據這書。

頒《五經正義》於天下

以上，是《五經正義》成立的經過。即以貞觀七年顏師古考定五經正文爲第一步，從貞觀十二年到十五年，孔穎達撰定《義疏》爲第二步，這是《正義》最初的成立。貞觀十六年馬嘉運的詳定及永徽二年至四年長孫無忌等的更定作爲第三步、第四步，該書也完成。關於這點，清阮元的詁經精舍，曾出題〈唐孔穎達五經義疏得失論〉，向學生徵文，今載於《詁經精舍文集》中。但他的門人的論文也沒有弄清楚。近年，京都帝國大學教授鈴木虎雄博士作〈五經正義撰定答問〉一文，載於《東洋史論叢》，雖很簡單，但最得其要領。

丁、正義的名稱

《正義》初名義贊

《五經正義》的初名，如前所述，在《舊唐書・儒學傳》寫作「義疏」，在《新唐書・孔穎達傳》寫作「義訓」，在《唐會要》寫作「義贊」，全都在文末叫「五經正義」，而初名和「正義」的關係是相當曖昧，但清兪正燮的《癸巳存稿》卷二〈五經正義〉一文中，很明白的說，唐《五經正義》本名「義贊」，唯百餘篇，詔名「正義」後刊定。即最初的書名是「義贊」，但依後詔才稱「正義」。他的說法，當然沒有異議。但爲何稱「正義」？在《後漢書・桓譚傳》，時桓譚擔心天子世祖信讖緯的上疏中文有，該文說：「陛下宜垂明德，發聖意，屛羣小之曲說，述五經之正義，略雷同之俗語，詳通人之雅謀。」清左暄《三餘偶筆》卷九〈五經正義〉條中，談到此事，以爲

「正義」之名本於桓譚的上奏文

《五經正義》之名本於此。恐怕他的說法是正確的。

【附註】

①貞觀四年，太宗以經籍去聖久遠，文字訛謬，詔前中書侍郎顏師古，於祕書省考定五經。及功畢，復詔尚書左僕射房玄齡，集諸儒，重加詳議。時諸儒傳習師說，舛謬已久，皆共非之，異端蠭起，而師古輒引晉、宋以來古本，隨方曉答，援據詳明，皆出其意表，諸儒莫不嘆服，太宗稱善者久之，賜帛五百匹，加授通直散騎常侍。（《貞觀政要・崇儒學》）

②太宗又以經籍去聖久遠多訛謬，詔前中書侍郎顏師古，考定五經，頒於天下，命學者習焉。（《舊唐書・儒學傳上》）

③帝嘗歎五經去聖遠，傳習寖訛，詔師古，于祕書省考定，多所釐正。既成，悉詔諸儒議，於是各執所習，共非詰師古，師古輒引晉、宋舊文，隨方曉答，誼據該明，出其悟表，人人歎服。（《唐書・顏師古傳》）

④顏師古奉敕考定五經，凡《正義》中所云，今定本者是也。（段大令《經韻樓集・十三經注疏釋文校勘記序》）

⑤又以儒學多門，章句繁雜，詔國子祭酒孔穎達，與諸儒撰定《五經義疏》凡一百七十卷，名曰《五經正義》。（《舊唐書・儒學傳》）

⑥初，穎達與顏師古、司馬才章、王恭、王琰，受詔譔《五經義訓》凡百餘篇，號「義贊」，詔改爲「正義」，雖云包貫異家，爲詳博，然其中不能無謬冗，博士馬嘉運駁正其失，至相譏詆，有詔，更令裁定，功未就。永徽二年，詔中書門下與國子三館博士、弘文館學士考正之。（《唐書・孔穎達傳》）

⑦永徽二年辛亥，三月十四日，詔太尉趙國公長孫無忌及中書門下、國子三館博士、弘文學士，故國子祭酒孔穎達所撰《五經正義》（孔穎達已卒於貞觀二十二年），事有遺謬，仰即刊正。（《唐會要》）

⑧貞觀十一年，又與朝賢修定五禮，所有凝滯，咸諮決之，書成，進爵爲子，十二年拜國子祭酒，仍侍講東宮。十四年，太宗幸國學，觀釋奠，命穎達講《孝經》，既畢，穎達上〈釋奠頌〉，手詔褒美。先是，與師古、司馬才章、王恭、王琰等諸儒，受詔撰定《五經義訓》，凡一百八十卷，名曰：「五經正義」。（《舊唐書・孔穎達傳》）

⑨永徽四年三月壬子朔，頒孔穎達《五經正義》於天下，每年明經，令依此考試。（《舊唐書・高宗本紀》）

二、《正義》的長短

甲、孔穎達等撰修的程度

《五經正義》用舊疏

《五經正義》以孔穎達之名來撰作是衆人皆知的事，這不外是參與修撰的人中，孔穎達擁有最高的官位。但以孔穎達爲首的這些人是否爲這《正義》盡心盡力?關於這點，實際上，這批人並未給予太多的用心，是毫無疑問的。此事可由其不經意間引用舊疏之文而得到證明。關於這點，洪頤煊《讀書叢錄》①中，有〈五經正義用舊疏〉一文，加以批評。舉例來說，在《書經・呂刑・正義》中，有「大隋開皇之初，始除男子宮刑」的文字。又《左傳》昭公十二年的《正義》有「昔陽，今屬廉州」的文字。《五經正義》經最後更定的時間因是唐永徽四年，永徽年間稱前代的隋爲「大隋」，實沒什麼理由。又廉州的名字是先被定名於武德元年，但不久在貞觀元年被廢，後來的永徽四年，說「今屬廉州」是毫無理由。這不得不說，在不經意間暴露出他們的沒見識。這是極爲中肯的話，在討論到這點時，不得不說它並沒有作很多的修改整理。

列舉《正義》的矛盾之議

乙、短處和長處

其次，談到和《正義》的修正不足有關，首先就《正義》的缺點來說，讓我們把《正義》中彼此互相矛盾的說法列舉出來。不受鄭玄和王肅在學說上有相異的限制，《正義》有關禘祭的解釋，在《禮記》中取鄭氏之說，在《春秋》中取王氏之說。在七廟說方面，鄭玄和孔安國意見不同，但《禮記・王制・正義》取鄭玄說，《書經・咸有一德・正義》，取孔安國說。這些如把《正義》當作一本書來考慮的話，本身確實有矛盾。這之外，在前舉俞正燮《癸巳存稿》卷二〈五經正義〉②一文中，所舉《五經正義》彼此的矛盾有好多個。例如，有關《禹貢》九河的說明，出現在〈禹貢〉和《詩經・般篇》的《正義》，其間有矛盾。有關《左傳》「衡流而彷徉」文句的讀法，《左傳》哀公十七年的《正義》和《詩經・汝墳》的《正義》間有矛盾。又《書經・舜典》和〈呂刑〉的《正義》間，有關廢宮刑時代的說法有不同。俞正燮列舉了相當多的例子，最後還給了嚴苛的批評說，孔穎達雖說是奉詔考定詳審，但對該書並不曾寓目。

由這些來看，確實地，《五經正義》還有修正整理不完全的地方，是不可掩飾的事實。俞氏所謂不曾寓目的事，也不必加以否定。但大部頭的著述，有若干出入矛盾，

《正義》無判斷的採用讖緯之說

《正義》確實傳漢代專門之法

《正義》在雜亂的經注之上，定於一尊

不可以微瑕毀白璧

誰也不能避免。我想捕微瑕而毀白璧的事，是君子所不應做。

此外，也無判斷的採用讖緯之說，從以前就被算作是《正義》的一大缺點。《正義》遵奉讖緯的地方很多，一一列舉恐不堪其煩，但即使這點，一方面也非參酌時代的思想不可。學說常常不能超越時代。詁經精舍的陶定山在〈唐孔穎達五經義疏得失論〉（《詁經精舍文集》）中說：「後儒徒執讖緯以譏，要亦宋以後之論，不可以議唐以上之儒矣。」可說是穩健之說。

以上主要是討論到《正義》的缺點，但仔細觀察的話，《正義》可取之點也甚多。第一，《正義》確實傳漢代專門之法③。後之學者無師承而徒以己意爲說者，實不能相比。傳師承者之言，以前以爲是拘儒而加以誹謗。拘之非是不必論，妄之過則更大。要之，傳漢代以來學者的專門之學是《正義》的特色之一。第二，《正義》是在雜亂的經注之上，建構定於一尊的形態④。這種功績無論如何不能被埋沒。漢代以來的學說，至南北朝，呈現支離滅裂的形態。其後，若無統攝它們的《正義》出現，經學一時或將失去歸趨，以致人心不統一也不可知。進而把那時的人心歸於一尊的事，是經學史上應該大書特書的事。這種議論，前舉詁經精舍的學者因已有論及，可以參考。

要之，《正義》雖有些細碎不完全⑤，但我想不應因此而斷其全功。

【附註】

①《尚書・舜典・正義》：「鞭刑，大隋造律，方使廢之。」〈呂刑・正義〉：「大隋開皇之初，始除男子宮刑。」《正義》上於唐永徽四年，不應稱「大隋」。《新唐書・藝文志》：「義寧元年，置鉅鹿郡，武德元年曰廉州，貞觀元年州廢。」《左氏》昭十二年《正義》：「昔陽今屬廉州」，《正義》上時，廉州已廢，此皆承用舊疏之證。（《讀書叢錄・五經正義用舊疏》）

②唐《五經正義》，本名「義贊」，《詩・般・正義》引鄭注〈禹貢〉云：「九河，周時齊桓公塞之，同爲一。」不知所出何書，其并爲一，不知并從何書。〈禹貢・正義〉引《春秋保乾圖》云：「移河爲界，在齊呂，填閼八流，以自廣。」《春秋》僖四年《正義》引《中候》云：「齊桓霸，遏八流，以自廣。」《詩・汝墳・正義》引《左傳》「衡流而彷徉」爲句，《春秋》哀十七年《正義》讀「方羊裔焉」爲句，是二劉先不自詳審，孔穎達等亦不曾詳審也。《書・舜典》「鞭作宮刑」，《正義》云：「大隋造律，始除之。」〈武成〉「罔有敵於我師」，《正義》云：「史臣敍事，得稱我者，猶如今文章之士，皆云我大隋耳。」〈呂刑〉「宮辟疑赦」，《正義》云：「大隋造律，除宮刑」，是孔穎達等，兩奉唐敕，考定詳審，而於其書，不曾寓目。然則，《正義》雖是佳書，而作奏之

工，葛龔力也。（《癸巳存稿》卷二〈五經正義〉）

③孔氏義疏，非若後儒經說無師承，而以己意創爲者比，夫守一先生之言，而無敢是非者，古謂之拘儒，然與其失之妄也，寧失之拘，以拘，則于前儒之說，尚多可考焉。（《詁經精舍文集》，胡敬〈五經正義得失論〉）

④由是《易》、《書》、《詩》、《禮》、《春秋》之學，皆宗于一，竊惟訓詁師承，波沿兩漢，章句箋釋，橫決六朝，一旦取長棄短，務定一尊，酌雅秉經，型垂萬世，其融貫羣言，誠足消門戶黨同之習，而支離曲護，亦不免阿私所好之弊。（《詁經經舍文集》，陶定山〈五經正義得失論〉）

⑤箴孔氏之失者，曰「彼此互異」，曰「曲狥註文」，曰「雜引讖緯」，……是三者皆孔氏之失，顧正惟有此三者之失，而孔氏之書之大旨，率皆傳述，而非創建，益明矣。（《詁經經舍文集》，胡敬〈唐孔穎達五經義疏得失論〉）

三、《正義》的根據

《易經注疏》的根據

甲、原注

《五經正義》的原注，《周易》是採魏王弼注（〈繫辭傳〉文是晉韓康伯注），《尚書》是採漢孔安國傳，《毛詩》是採漢毛萇傳和鄭玄箋，《禮記》同是採鄭玄注，《左氏傳》採晉杜預集解。而疏是唐孔穎達等人所爲。但孔穎達等的疏，是全部孔穎達等人的創意嗎?或是沿襲前人學說?若是沿襲前人學者較多的話，採何人之說最多?那是相當困難的問題，又關於討論它的得失，是更困難的問題。以下各經，綜合自己所見，及古人所論，簡單加以敍述。

乙、各經疏的根據

《易》注古有九家，其中，《正義》宗王弼、韓康伯，前已說過。王弼之說，如古人所述，尊玄風而悉棄象數。《正義》因以王弼的說法爲基礎，自然有其不能滿足的地方。馬融、鄭玄、荀爽、虞翻等古注有引用一些，但大多否定其說，也採用褚仲都之說。這一點，《易》的注疏比起其他的注疏稍差一點。朱子曾批評，五經的疏，《周禮》最好，《詩》、《禮記》其次，《書》、《易》最下。

《書經注疏》的根據

《詩經注疏》的根據

《書經》的本文，本身已有問題，《正義》採錄的是東晉梅賾的僞《古文》。孔穎達在〈書經序〉，雖曾贊賞僞《古文》立義宏雅，這書是僞書，今日已成定論。我想以該書爲底本是一大失策。在司馬遷《史記．五帝本紀》中，引用相當多的眞《古文》的文句。但因孔穎達以梅賾的僞《古文》爲準，結果《史記》所引的眞《古文尚書》一個也沒採錄，這是相當大的錯誤。

《書．正義》在先人諸說中，採用蔡大寶、巢猗、費甝、顏彪的學說非常少，以劉綽、劉炫二家之說較詳雅，而作爲根據。像馬融、鄭玄的注，僅不過參照而已，這種取舍又是如何？也是可思考的一點。

《詩經》宗主毛、鄭的事，前文已明白的說過。而把鄭玄《詩譜》放在最前面，我想是很得要領的方法。疏中雖有相當多的部分根據二劉，但二劉之外，孔穎達等的獨特發現也不少。特別是，有關訓詁、制度、典禮，極爲詳細。訓詁大體來說是根據《爾雅》，此外，也參照樊光、李巡、孫叔然等古注，有艸出木蟲魚，以陸機《疏》爲根據者有很多。在制度、典禮方面，不僅希望說明詳審，也普遍引用羣經作爲參照。爲有助於解釋，以鄭玄的《易注》、《書經注》，賈、服的《左傳注》等，而採用互證的方法。這些，都是《詩經正義》優於其他《正義》的地方。

《三禮注疏》的根據

禮是孔穎達最得意的學問。所以，注宗鄭玄之說，說是以皇侃《義疏》爲根本，但該書之外，一直到南北朝重要學者的說法幾乎毫無遺留的全部引入疏中。孔穎達以前通禮的學者，南人中有賀循、賀瑒、庾蔚之、崔靈恩、沈重、皇侃。北人中有徐遵明、李業興、李寶鼎、侯聰、熊安生，但《禮記疏》，在諸人中依皇侃、熊安生之說的爲最多。古人說：「不學雜服，不能安禮」，是不是因爲這樣，孔穎達對服制有最明晰的說明。

《左傳注疏》的根據

《左傳》採杜預《集解》作原注，前文已說過，但該書之外也多次參酌劉炫的說法。劉炫在先前有作「規杜」，以及駁杜預之說，碰到這種問題，在杜說和劉說相矛盾時，孔穎達常常贊成杜預而反對劉炫。這點可說是取捨有誤而被後人非難。關於考證，在杜預之外，也依賈、服之注。

以上有關《正義》之根據的大略說法，並非個人的想法，而是採用相當多古人意見所作的判斷，我想並沒有很多的偏見。

趙坦的注疏改正論

阮元門下的趙坦①，在改訂《正義》方面，說到應作什麼樣的工夫時，提出了具體的方案。根據他的說法，《易》以鄭玄注爲主，以李鼎祚所收集的古注來增補，又應參酌《左傳》中的筮法。關於《書》，取馬融、鄭玄之注，以《史記》所引的本文來參考經文，更應參酌漢石經和《說文》等，而回復眞《古文》的古來面貌。關於《左傳》，取賈、服之說，關於土地名等，應採裴秀客、京相璠等之說。我想恐怕是一面之言吧！

關於唐代的經學史，以上所說的是極少的一部分，這些之外，非說不可的有開成石經問題、《五經文字》、《九經字樣》的問題、陸德明《經典釋文》的問題、李鼎祚《周易集解》的問題等，現在全部省略。

【附註】

①然則將如何而後盡善耶？曰：《易》則宗鄭氏，而以李鼎祚所集之古注及羣書中所引之古注，足與鄭注相發明者附益之，次則取《左傳》中筮法，都爲一編附焉，所謂「刊輔嗣之野文，補康成之逸象」，漢《易》梗概，於斯可復。《書》則采馬、鄭注，而益以《史記》中之以訓詁代經文者，其他漢石經及《說文》及顏師古諸家之說，亦復搜討靡遺，而後殫心詮解，庶復眞《古文》之舊觀。《左傳》則采賈、服注，於土地名，則取裴秀客、京相璠，其一二古文，散見《說文》及羣書者，取以參考，庶《左傳》之古字古言，存什一於千百，而《春秋》亦賴以明，然後博稽載籍，爲之疏釋，俾賈、服之學復顯於世，不遠駕穎達上耶！（《詁經精舍文集》，趙坦〈唐孔穎達五經義疏得失論〉）

十三經正義撰修的動機和人物

四、附：《十三經注疏》

在說到宋代經學的一般傾向之前，在這裡先略述《十三經注疏》。《十三經注疏》是《五經正義》的延長，而它的完成是在後來的宋代。把它放在宋代經學史之前，是因恰好與唐代經學史的《五經正義》有關係。

《五經正義》是按前文所說那樣的經過來完成的，但根據《宋史・李至傳》①，其後《九經正義》和《十三經正義》成立了。同傳關於這個有詳細的說明。李至上書的大要是：「《五經》書疏已板行，惟二傳、二禮、《孝經》、《論語》、《爾雅》七經疏未備，故詔令崔頤正、孫奭、崔偓佺等更加刊刻」，而當時皇帝聽從他的建議。這恐怕是《十三經》全部作《正義》的動機。左邊將把《五經正義》之外，《十三經正義》的注疏者列舉出來。即《儀禮》是漢鄭玄注，唐賈公彥疏；《周禮》是漢鄭玄注，唐賈公彥疏；《公羊傳》是漢何休學，唐徐彥疏；《穀梁傳》是晉范寧集解，唐楊士勛疏。（以上九經）《孝經》是唐明皇御注，宋邢昺疏；《爾雅》是晉郭璞注，宋邢昺疏；《論語》是魏何晏集解，宋邢昺疏；《孟子》是漢趙岐注，宋孫奭疏。其中，《孝經》、《爾雅》、《論語》三書

《孟子疏》非孫奭作

注疏最先是注和疏分別單行

之疏，皆成於邢昺之手，此是宋眞宗咸平二年奉詔所撰。《孟子疏》相傳是孫奭所作，但異說很多。淸錢大昕《十駕齋養新錄》卷三有〈孟子正義非孫宣公作〉②一文，根據該文，朱子已疑《孟子正義》非孫奭所作。又晁公武的《郡齋讀書志》有孫奭的《孟子音義》，但不見《正義》之名。當時並沒有說孫奭《孟子疏》是僞書的證據。至南宋陳振孫《書錄解題》才認爲《孟子正義》是孫奭作。後來，元馬端臨《文獻通考．經籍考》因採錄陳振孫之說，孫奭作的說法頓時大行於世。這是錢大昕論旨的大要，可說是極妥當的意見。

這十三經注疏最初全部是注和疏各自單行。這點在今日留傳下來的北宋本中，由《爾雅》、《儀禮》、《毛詩》等現存的單疏本也可以了解。且古人關於此事已有所討論。段玉裁《經韻樓集》中有〈十三經注疏釋文校勘記序〉③；錢大昕《十駕齋養新錄》中有〈注疏舊本〉④一文，同書中有〈正義刊本妄改〉⑤之文，這些文章都論到這件事。但這兩位學者的說法有若干不同。段玉裁說注疏合編是在北宋，但錢大昕說注疏合編並非在北宋，而是南宋紹興年間。又段玉裁以爲注疏之外，又合陸德明的《釋文》，大概是在南宋，錢大昕並不反對在南宋的說法，但南宋初還未合編。恐怕是光宗、寧宗以後的事。大體來說，錢大昕的考證，讓人覺得較詳密。

還有，在《十三經注疏》中，應該說的還有很多，這裡全部省略。但關於注疏的版本的大略情形，可參照拙著《書物的話》。

【附註】

①李至……上言：「五經書疏已板行，惟二傳、二禮、《孝經》、《論語》、《爾雅》七經疏未備，豈副仁君垂訓之意，今直講崔頤正、孫奭、崔偓佺，皆勵精強學，博通經義，望令重加讎校，以備刊刻。」從之。（《宋史・李至傳》）

②《孟子正義》朱文公謂邵武士人所作。卷首載孫奭〈序〉一篇，全錄《音義》，〈序〉僅添三四語耳，其淺妄不學如此。晁公武《讀書志》有孫奭《音義》，而無《正義》。蓋其時僞書未出，至陳振孫《書錄解題》，始並載之。馬端臨《經籍考》，並兩書爲一條云。（《十駕齋養新錄》卷三，〈孟子正義非孫宣公作〉）

③貞觀中，有陸德明《經典釋文》，自唐以前，各家經本乖異，立說參縒，皆於是焉可考。又有顏師古，奉勅考定《五經》，凡《正義》中所云「今定本」者是也。至宋，有《孝經》、《論語》、《孟子》、《爾雅》四疏，於是或合集爲《十三經注疏》。凡疏與經注，本各單行也，而北宋之季，合之。維時《釋文》猶未合於經注疏也，而南宋之季，合

之，自有十三經合刊注音釋，學者能識其源流同異，抑尠矣。（段大令《經韻樓集·十三經注疏釋文校勘記序》）

④唐人撰九經疏，本與注別行，故其分卷，亦不與經注同。自宋以後刊本，欲省兩讀，合注與疏爲一書，而疏之卷第，遂不可考矣。予嘗見宋本《儀禮疏》，每葉卅行，每行廿七字，凡五十卷，唯卷卅二至卅七，闕。末卷有大宋景德元年，校對、同校、都校諸臣姓名，及宰相呂蒙正、李（不署名，蓋李沆也）、參政王旦、王欽若銜名。又嘗見北宋刻《爾雅疏》，亦不載注文，蓋邢叔明奉詔撰疏，猶遵唐人舊式，諒《論語》、《孝經疏》，亦當如此，惜乎未之見也。

日本人山井鼎云：「足利學所藏宋板《禮記注疏》有三山黃唐跋云：『本司舊刊《易》、《書》、《周禮》正經注疏，萃見一書，便于披繹，它經獨闕。紹興辛亥，遂取《毛詩》、《禮記》疏義，如前三經編彙，精加讎正，乃若《春秋》一經，顧力未暇，姑以貽同志。』」所云本司者，不知爲何司，然即是可證北宋時，正義未嘗合于經注，即南渡初，尚有單行本，不盡合刻矣。紹興初，所刻注疏，初未附入陸氏《釋文》，則今所傳附釋音之注疏，大約光、寧以後刊本耳。今南北監本，唯《易》釋文，不攙入經注內，《公羊》、《穀梁》、《論語》俱無《釋文》。（《十駕齋養新錄》卷三，〈注疏舊本〉）

⑤《釋文》與《正義》各自一書，宋初本皆單行，不相殽亂，南宋後，乃有合《正義》於經注之本，又有合《釋文》與《正義》于經注之本。欲省學者兩讀，但既以注疏之名標于卷首，則當以《正義》爲主，即或偶爾相同，亦當並存，豈有删《正義》而就《釋文》之理。（《十駕齋養新錄》卷二，〈正義刊本妄改〉）

第三章　宋代經學概觀

一、與前代的比較

甲、分化的、批判的

宋代經學有分化的傾向

宋代經學與唐代經學作比較的話，最主要的差異是唐代經學界有定於一尊的傾向，而宋代經學界則有强調分化的傾向。

宋代經學者的疑經疑傳

最能說明宋代經學界强調分化傾向的是宋代經學家對於經傳採取極爲懷疑的態度。由於此一懷疑的態度，終於打破唐代經學一尊主義的成規而造成宋代經學釐析眞僞而强調辨別的新現象。至於這一種懷疑的態度可由宋代疑經疑傳的事實來說明。

疑經疑傳固然是宋代經學一個重大的傾向，而此一學風受到唐陸淳的影響甚多。在此先概說陸淳的學風。

乙、唐陸淳的影響

陸淳、啖助、趙匡的關係

陸淳的學風與啖助、趙匡極有關連。啖助字叔佐，趙匡字伯循。啖助撰述的《春秋統例》早已亡佚不存，趙匡則沒有專著。陸淳字伯仲，著有《春秋微旨》、《春秋集傳纂例》。至於啖、趙、陸三人的關係，根據《舊唐書》的記載，是「啖助－趙匡－陸淳」師弟相承的關係。《新唐書》的記載則是趙匡與陸淳皆爲啖助的門人。到底該採取何者的說法？根據柳宗元的〈陸淳墓表〉，是啖助、趙匡爲陸淳的師友。在陸淳的文章中，經常有提到啖助則稱嚴師、提到趙匡則稱益友的敍述。因此，或許《新唐書》的記載要比較正確。

陸淳之學的特色

啖助的《春秋統例》有六卷，其書雖然早已亡佚，但是啖助死後，其著述立說的編纂與蒐集都由趙匡來擔任。陸淳著《春秋纂例》四十卷，此書固然是陸淳的著作，同時也可以看到啖助、趙匡的主張。又《春秋微旨》雖然是陸淳的著作，就全書的體例來說，首先列舉三傳的敍述，其次對於三傳有批評的話，則有「啖氏曰」或「淳問之師」的記載。所以，在《春秋微旨》一書中，也可以看到啖、趙的見解。就這樣說來，陸淳的著述乃是融合且代表了啖助與趙匡的主張。

陸淳的著述到底有何特點。歸納其著作，可以發現陸淳對於漢唐學者墨守三傳的學問態度，提出了根本的懷疑。首先他對《左傳》①提出質疑。

陸淳對《左傳》的懷疑

陸淳指出：古代的學問都是口傳。但是今日流傳的《左傳》，於周、晋、齊、宋、楚、鄭六國的記事卻極爲詳密。或許這是左氏傳授門人時，作爲講授資料的六國史書。又今日所見的《左傳》中，甚多根據當時的卜書、夢書、占書、縱橫家書、小說家書而記錄的部分。因此，卜書等雜書和六國史書都是左氏教授《春秋》時的參考資料。再者，除了上述講授參考資料之外，或許還有口授式解釋才是。而這一種口授才是《春秋》的眞正的解釋。但是，今日的《左傳》只存在作爲資料的部分，口授的解釋卻失傳了。就這個意義上來說，這樣的《春秋》學是抱殘守缺的。

陸淳對《左傳》提出這樣的懷疑。對《公羊傳》、《穀梁傳》又提出別的疑問。

陸淳對《公》、《穀》二傳的懷疑

陸淳說：《公》、《穀》二種是《公羊傳》、《穀梁傳》的口授解釋無疑②。就這一點來說，《公羊傳》、《穀梁傳》比《左傳》要能傳《春秋》的眞義。雖然如此，今日所傳的《公羊傳》、《穀梁傳》只不過是殘存的一部分而已，要作爲《春秋》全體的解釋是不可能

陸淳對三傳學者的批評

的。舉一個例子來說，雖然《公羊傳》是一字以寓褒貶，但是，流傳的既然是部分的資料，也只能用於處理特殊情況。因此，根據《公羊傳》理解《春秋》褒貶的全意是錯誤的。

《春秋》三傳既然都值得懷疑，自然就不能置信。這是陸淳的結論。

陸淳對後世三傳學者的錯誤也有指摘。

《左傳》學者杜預在《左傳集解》的序文③指出：《春秋》是周公志趣的所在。周德衰微，周代的禮儀亡佚，孔子乃根據魯史匡正當時的禮儀。遵從周公的遺制，設定行之於後世的制度。但是陸淳以爲：果真像杜預所說的，孔子著述的目的在於恢復周代的典章制度。雖然當時的周德衰微，禮經依然存在才是。根據禮經來制禮作樂，並不是不可能的，因此，不一定非要修訂《春秋》不可。

《公羊》學者何休在《公羊傳》的序文中指出：孔子修《春秋》的目的在於「黜周王魯」，以及變周文而從前代之質。但是陸淳以爲：修《春秋》的目的在於變周文而歸於前代之質④的議論，大抵可以肯定的。至於「黜周王魯」，即正名位的主張，則誣蔑了孔子的旨趣。

穀梁學者范寧在《穀梁傳》的序文指出：孔子之所以修《春秋》，是感傷平王東遷以來，周室衰微王道頹廢。孔子以爲《春秋》的大意在於「明黜陟、顯勸戒」，即顯揚天下的善人而規戒惡人。但是陸淳以爲：「黜陟勸戒」是古代典籍共通的目的，不限於《春秋》一書而已。如果修《春秋》的目的只是「黜陟勸戒」而已，就沒有修《春秋》的必要了。

陸淳對《春秋》的看法

上述是陸淳對三傳與三傳學者所作的批評。至於陸淳對《春秋》又有何見解？

陸淳以爲《春秋》大意在於匡正時政的弊害，振興衰微的禮樂⑤。夏朝的民俗尚忠。但是只是尚忠，則不免流於粗野。爲了匡救粗野的弊端，殷商就主敬。但是主敬又容易流於迷信。爲了矯正迷信的流弊，周代就用文。但是文勝，則又流於僿，文是忠之末，其弊害達到頂點是在周室東遷以來，因此周末的人倫頹廢。由於感傷時俗的弊害，進而匡救時弊，故撰述《春秋》。至於起筆《春秋》的眞正用心，大略可歸納爲以下的十條⑥。㈠以權補正。㈡以誠斷禮。㈢正以忠道。㈣原情爲本。㈤不拘浮名。㈥不當狷介。㈦從宜救亂。㈧因時黜陟。㈨貴非禮勿動。㈩貴貞而不諒。這十項原則如果能實現，就能去僿歸實。

陸淳對於《春秋》的見解，雖然散見於《春秋集傳纂例》的〈春秋宗指議〉與〈春秋三傳得失議〉，其概要大抵如上所述。而對於陸淳的主張，自然有贊成與否定的兩種不

陸淳學風的存在意義

同意見。如程子等人即贊成陸淳的說法，歐陽修、晁公武等人則持反對的意見。由於篇幅所限，對於其是非不作詳細地論述。就漢、唐以來的學者墨守三傳家法的保守態度，唯有啖助、趙匡、陸淳三人能徹底地懷疑三傳，標榜自身的看法，是特別值得留意的。雖然與時代的變遷有極大的關連，宋代的學者之所以能批判前人的說法，提出自己的見解，可以說是受到陸淳等三人極大的影響。就這一層意義來說，陸淳等三人的學問實有其存在的意義。

【附註】

①予觀《左氏傳》，自周、晉、齊、宋、楚、鄭等國之事最詳，晉則每一出師，具列將佐，宋則每因興廢，備舉六卿，故知，史策之文，每國各異，左氏得此數國之史，以授門人，義則口傳，未形竹帛，後代學者，乃演而通之，總而合之，編次年月，以爲傳記，又廣采當時文籍，故兼與子產、晏子，及諸國卿佐家傳，并卜書、夢書及襍占書、縱橫家、小說諷諫等，襍在其中，故敘事雖多，釋意殊少。（《春秋集傳纂例‧三傳得失議二》）

②《公羊》、《穀梁》初亦口授，後人據其大義，散配經文，故多乖謬，失其綱統，然其大

指，亦是子夏所傳，故二傳傳經，密於左氏。（《春秋集傳纂例．三傳得失議二》）

③啖子曰：夫子所以修《春秋》之意，三傳無文，說左氏者以爲：《春秋》者周公之志也，暨乎周德衰，典禮喪，諸所記注，多違舊章，宣父因魯史成文，考其行事而正其典禮，上以遵周公之遺制，下以明將來之法。言《公羊》者則曰：夫子之作《春秋》，將以黜周王魯，變周之文，從先代之質。解《穀梁》者則曰：平王東遷，周室微弱，天下板蕩，王道盡矣。夫子傷之，乃作《春秋》，所以明黜陟，著勸戒，成天下之事業，定天下之邪正，使夫善人勸焉，惡人懼焉。（《春秋集傳纂例．春秋宗指議一》）

④據杜氏所論，褒貶之指，唯據周禮，若然則周德雖衰，禮經未泯，化人足矣，何必復作《春秋》乎？且游、夏之徒，皆造堂室，其於典禮，固當洽聞，述作之際，何其不能贊一辭也？又云：周公之志，仲尼從而明之，則夫子曷云知我者亦《春秋》，罪我者亦《春秋》乎，斯則杜氏之言陋於是矣。何氏所云，變周之文，從先代之質，雖得其言，……失指淺末，不得其門者也。……黜周王魯，以爲《春秋》宗指，兩漢專門傳之于今，悖禮誣聖，反經毀傳，訓人以逆，罪莫大焉。范氏之說，粗陳梗概，殊無深指，且歷代史書，皆是懲勸，《春秋》之作，豈獨爾乎？是知雖因舊史，酌以聖心，撥亂反正，歸諸王道，三家之說，俱不得其門也。（《春秋集傳纂例．春秋宗指議一》）

⑤予以爲：《春秋》者救時之弊，革禮之薄，何以明之，前志曰：夏政忠，忠之弊野，殷人承之以敬，敬之弊鬼，周人承之以文，文之弊僿，僿莫若以忠，復當從夏政，夫文者忠之末也，設教於本，其弊猶末，設教於末，弊將若何？（《春秋集傳纂例・春秋宗指議一》）

⑥是故《春秋》以權輔正，以誠斷禮，正以忠道，原情爲本，不拘浮名，不當狷介，從宜救亂，因時黜陟，或貴非禮勿動，或貴貞而不諒，進退抑揚，去華居實，故曰救周之弊，革禮之薄也。故人曰：殷變夏，周變殷，《春秋》變周。（《春秋集傳纂例・春秋宗指議一》）

二、經文批判

孟子的疑經

經文批判的事實並非開始於宋代。《孟子・盡心篇》的「盡信書則不如無書」，或「吾於〈武成〉取二三策而已矣」的敍述，即對經傳的記載有疑問。

漢代的疑經

到了漢代，也不是沒有疑經的事。例如《文中子・天地篇》的「三傳作而《春秋》散」和「《書》殘於古今、《詩》失於齊魯」的議論，既已對三傳和《詩》、《書》產生了懷疑。雖然鄭玄的著述亡佚大半，其學問的全貌難以窺測，但是根據蒐集《經典釋文》和傳注疏所引用的鄭玄之說而成的《鄭氏佚書》，鄭玄對於《周易》一書，就有刪改文字的事例。漢代既然有疑經的事實，六朝、隋、唐存在著疑經的風氣也是當然的事。

漢唐宋初的疑經有淳篤之風

唐代有陸淳大倡疑經的論調，已於上文敍述了。不過，漢唐到宋初的疑經、疑傳的風氣依然極爲淳篤。鄭玄於《詩箋》中有懷疑《毛傳》的議論，但是，依然有引述《魯詩》、《韓詩》以補充其不足的地方。唐李林甫主張改定《禮記．月令篇》，也僅僅懷疑〈月令〉是呂不韋所作的。但是到了宋代，就完全不同了。

慶曆以後諸儒不難於疑經

南宋陸游曾論說宋代經學的大勢，以爲慶曆以後，諸儒發明經旨，非前人所能及。動輒疑經，更何況傳注。確實能通觀宋代經學發展的大勢，而且是極爲中肯的議論。

甲、疑傳

對《春秋》三傳的懷疑

開啓宋代疑傳先聲的是孫明復的《春秋尊王發微》。此書不取三傳之說而以折衷聖人之言爲著眼。主張以《春秋》的事實作爲鑑證，匡救國運傾頹的宋朝天下。歐陽修的〈春秋論〉也是如此。孫明復說：「孔子聖人也，萬世取信一人而已。若公羊高、穀梁赤、左丘明三子者，博學而多聞矣，其傳不能無失者也。」乃以爲學者不信孔子之言而信三傳之說是錯誤的。換句話說，孫明復主張讀《春秋》的話，應該以經爲主，而不宜墨守三傳。繼孫氏之後的是葉夢得的《春秋讞》。所謂「讞」是論斷罪人嫌疑的意思。《春秋讞》就是訊問歷來三傳的疑點。與葉夢得《春秋讞》同時的有劉安世的《元城語錄》。此書也指出：《春秋》三傳各有可取之處，也有自相矛盾的所在。吾人不可不有經自經、傳自傳的想法。

以上是當時對三傳提出疑問的二三例證。當然，當時也有遵守三傳的學者，如蘇轍的《春秋集解・序》即說「事必以丘明爲本」。但是大體而言，對三傳採取疑問的態度是當時學界的風潮。

對《詩傳》、《詩序》的懷疑

歐陽修是宋代同時對《春秋》三傳和《詩傳》抱持懷疑的第一人。毛鄭《詩》說是漢代以來《詩經》注疏史上有獨尊的地位。特別是唐孔穎達以毛鄭《詩》說爲本而作疏以後，毛鄭《詩》說的地位更加穩固。但是，到了宋代，歐陽修作《詩本義》，對毛鄭的《詩》說提出了質疑。在〈長發〉詩的注，歐陽修極言「鄭惑讖緯，其不經之說，汨亂六經者，不可勝數。」對《毛傳》既然有了懷疑，隨之，對《毛序》產生疑問的學者也增加了。蘇轍在其《詩集傳》只說《詩序》的最初一句不可信，但是，鄭樵撰述《詩辨妄》一書，提出

《詩序》不可信的主張。王質作《詩總聞》主張宜捨棄《詩序》。朱子的《詩集傳》則削除了《詩序》。由此可知，《詩序》終不能免於宋代學者的質疑。

對《書序》的懷疑

以爲《書序》是孔子所作的，不僅見載於《漢書・藝文志》和《隋書・經籍志》，連馬融、鄭玄的經學大家也置信不疑。但是到了宋代，朱子卻徹底地懷疑《書序》的可信度，以爲《書序》是出於經師之手，並不是孔子所作的。從此，對《書序》抱持疑問的學者逐漸增加。

對〈河圖〉、〈洛書〉、《易・十翼》的懷疑

歐陽修首先對〈河圖〉、〈洛書〉提出疑問，其後，葉水心也有了質疑。

古來都以爲《易・十翼》是孔子作的。歐陽修於《易童子問》中，最先提出質疑。歐陽修說：「童子問曰：〈繫辭〉非聖人之作乎？曰：何獨〈繫辭〉焉，〈文言〉、〈說卦〉而下，皆非聖人之作。而衆說淆亂，亦非一人之言也。」

由此可知，《易傳》也不能免於宋代學者的質疑。

乙、疑經

對《書經》的懷疑

不僅對傳有所懷疑，宋人進而對經也產生懷疑。

《書經》之有古文和今文經兩種，是衆所周知的事。孔穎達編修《五經正義》時，採

信東晋的僞《古文》，以《古文尚書》爲定本。由於孔穎達的學識和敕選的關係，僞《古文尚書》始終爲學界所尊信。直到宋代，先有吳棫撰述《書稗傳》對僞《古文尚書》提出質疑。此書雖然已經失傳了，但是由於王應麟《困學紀聞》的引述，可以知道其梗概。繼吳棫之後，朱子對《古文尚書》也有了疑問。

事實上，宋人不只對《古文尚書》有懷疑，對《今文尚書》也有疑問。首先對《今文尚書》提出質疑的，根據陳振孫《直齋書錄解題》的記載，是趙汝談；根據《經義考》的記載，則是程伊川。但是，儘管本傳記載著程伊川對〈洪範篇〉有疑問，其對《今文尚書》一書有何種程度的懷疑，並無法詳細地了解。如果單從一篇的懷疑，就以爲程伊川對《今文尚書》有質疑的話，蘇東坡也可以算是對《今文尚書》有疑問的人，因爲蘇東坡曾對〈顧命篇〉、〈胤征篇〉提出了疑點。

對《周禮》的懷疑

對於《周禮》一書，自漢武帝以來，就有許多懷疑，有人以爲《周禮》是末世之書，有人則認爲是六國陰謀之書。到了宋代，對《周禮》懷疑的人更多。由於王安石根據此書施行新法，司馬溫公乃密奏神宗，極陳《周禮》一書的不經。洪邁也於所著的《容齋隨筆》指出，以爲《周禮》是周公所著的看法是錯誤的。

丙、改經

改定《春秋》

在疑傳、疑經之後，宋人也遂行改經。最初斷然改經的是劉敞。其於所著的《春秋傳》中，即有修改《春秋》文句的地方。如關於趙盾踰國則免的記事，刪除其「君子曰」的部分，就是一例。

改定《書經》

蘇東坡以〈書經・康誥〉篇首的二十八字是〈洛誥〉篇的錯簡，乃將之刪去。劉敞、程伊川、王安石則有修改〈武成篇〉的文句。程伊川改定的部分見於〈經說〉。其後，朱子則對〈武成〉全篇進行考察，其修正的結果見於《朱子文集》。又龔鼎臣的《東原錄》也有改定〈洪範篇〉的記載。以上是宋人對《書經》的一篇或部分文句進行改定的。到了王柏的《書疑》則完全不信今日的《書經》，對全書進行大幅度的改定。

改定《詩經》

古來認爲《詩經》是經書中最爲可信而無需懷疑的經典。但是王柏則著《詩辨說》一書，改定《詩經》可疑的部分。

改定《大學》、《中庸》、《孝經》

程子將《大學》、《中庸》自《禮記》分出，就是其改經的事實。不僅如此，程子還改定了《大學》第五章的文句。承繼二程之後，朱子更大幅地修改《大學》，將《大學》分爲「經傳」，即今日通行本的形式。再者，朱子又按照《大學》的模式，也將《孝經》改定爲「經傳」的形式。

改定《孟子》

歷來對《孟子》存疑的雖然不少，如《荀子》的〈非十二子篇〉、王充的〈刺孟〉，即是。但是，所有的議論都是針對《孟子》的思想內容。到了宋代則不同，如馮休的《刪孟子》，則懷疑《孟子》的成書，將十四卷的《孟子》改訂爲七卷。

改定《禮記》

由於《禮記》是蒐集漢儒雜說而成的，在宋代以前，對《禮記》存疑的人就甚多。朱子對《禮記》雖然沒有特別的議論，但是從他所作的《儀禮經傳通解》，大抵是以《禮記》解釋《儀禮》的情況，可以見出朱子改定《禮記》和《儀禮》的事實。朱子之後的吳澄，則著有《禮記纂言》一書，則對《禮記》全書進行改定的工作。

以上是宋人由疑傳、疑經而改經的事實。與唐人完全相信經傳，而且經傳解釋由於敕定而一尊的學風相比，可以說是經學史上的一大變革。而由於經學上的變革，也捲起宋代學術界崇尚自由討論精神的風潮。（參見諸橋轍次：《儒學の目的と宋儒の活動》，第三篇第二章）

丁、立說的自由

宋代自由立說的源起

綜觀中國經學的發展歷史，在自由立說方面，沒有一個時代比得上宋代。不過這一自由的學風，在宋初並不顯著。根據清朝錢大昕《十駕齋養新錄》卷十八〈宋儒之經學〉①的論述，宋代初年依然遵守漢唐經傳的傳說。如宋景文《唐書‧儒學傳》對啖助的《春秋》解釋，頗不以爲然。同時的孫復、石介等名儒也抱持著相同的看法。唯獨歐陽修贊成啖助的學問，而他也有蔑古之風，於〈儒學傳〉中，極力去回復他。至於宋代的自由學風起源於何時，根據王應麟的說法②，大抵始於慶曆年間。劉敞的《七經小傳》稍有崇尚自由而貴新奇的傾向。到了王安石的《三經新義》問世，其風大盛。特別是到了陸農師講義經筵之後，上行下效，自由立說的風氣一時風行。支離曼衍的弊端也因而滋生。王應麟的論說是極爲精當的。我曾指出王安石之所以採用墨義的科學，崇尚自由立說是其原因之一。換句話說，由疑經、疑傳到自由立說，是宋代經學的長處，而流於支離曼衍，則是其短。此長短兼俱的現象是宋代經學的特色。

【附註】

①宋初儒者，皆遵守古訓，不敢妄作聰明，宋景文《唐書‧儒學傳》於啖助贊，深致貶斥，蓋其時，孫復、石介輩，已有此等議論，而歐陽公頗好之，故於此傳，微示異趣，以防蔑古之漸，其後王安石以意說經，詆毀先儒，略無忌憚，而輕薄之徒，聞風

效尤，競爲詭異之解，如孫奕說《詩》「黽勉」，以黽爲蛙；說《論語》「老彭」，以彭爲旁，羅璧謂公羊、穀梁，皆姜姓，眞可入笑林矣。（《十駕齋養新錄》卷十八〈宋儒經學〉）

②王伯厚曰：「自漢儒至于慶曆間，談經者，守訓故而不鑿，《七經小傳》出而稍尙新奇矣，至《三經義》行，視漢儒之學若土梗，古之講經者執卷而口授，未嘗有講義也。元豐間，陸農師在經筵，始進講義，自時厥後，上而經筵，下而學校，皆爲支離曼衍之詞，說者徒以資口耳，聽者不復相問難，道愈散而習愈薄矣。」（《困學紀聞》卷八〈經說〉）

三、經學的實用化

甲、漢唐無用之學

痛陳漢儒的經學無益於世用

宋代經學的第二個特色是學問的實用化，即努力於以經書的解釋匡救時勢。宋儒經常感嘆漢唐的學問無益於經世之用。如鄭樵說：

> 秦人焚書而書存，漢儒窮經而經絕。（《通志・校讎略・秦不絕儒學論》）

即指摘漢代學者的學問完全沒有實用的功能。袁說友在所作的《東塘集・漢儒辨》一文中指出：

> 聖人之經，以秦火而亡，以漢儒而雜。亡之害在書，而雜之害在道。書亡而道固存，道雜而聖人之意泯矣。故亡之害小，而雜之害大。

批評漢儒的經學流於穿鑿附會而聖人之道從此泯滅不存。由於宋儒強調經學的實用性，經常於經書的解釋中直接涉及當時的政治社會等問題。

乙、尊王思想

孫明復鼓吹尊王思想

太宗的盛世過後，由於遼、金的崛起，宋代的國運逐漸衰微。自此以後到南渡爲止，宋代始終受到遼、金的壓迫。感受國勢的傾衰與外族的欺壓，研究《春秋》的學者首先表示胸中的憤慨。孫明復的《春秋尊王發微》即極力主張以《春秋》學挽回宋朝的國

葉夢得鼓吹尊王思想

崔子方鼓吹尊王思想

蕭楚鼓吹尊王思想

蕭楚與胡澹菴

運。「攘夷狄」「救中國」不但此書隨處可以看到的字眼，憎惡僭忞、痛陳王權下墜、進而提倡尊王攘夷，更是此書的主旨。以周室衰亡爲寄託而感嘆宋朝國運的衰微，或以列國興亡的歷史爲鑑，力陳國勢盛衰的軌迹。這是孫明復撰述《春秋尊王發微》的用心所在。換句話說，孫明復乃抱著憂國之志來解釋經書。當他避世而隱居於泰山時，石介來訪之後，說「孫先生非隱者也」，誠爲知人論世之言。與《春秋尊王發微》有相同主張的是葉夢得的《春秋考》。此書主張抑權道而揚正道，其究極則與孫明復一樣，希望能挽回宋朝衰頹的國運。又崔子方著有《春秋本例》一書。提出「天下有中外，侯國有大小，位有尊卑，情有疏戚，不可得而齊也」的主張，進而以正華夷君臣尊卑的名分爲其著述的生命。亦即以正名分來救世。蕭楚的《春秋辨疑》也有相同的主張。

蕭楚「內中國而外諸夏，內諸夏而外夷狄，以正天下之勢」的主張，即嚴華夷之別、正君臣名分的論述是見於《春秋辨疑》的〈春秋魯史舊章辨〉。

蕭楚告訴門人胡澹菴說：「學者非但拾一第，身可殺，學不可辱，毋禍我《春秋》乃佳。」（《宋史》本傳）即可以看出蕭楚一門的志向。胡澹菴上奏高宗，斬秦檜、王倫以匡救衰頹之國運的氣魄，是在蕭楚門下時養成的。孫覺的《春秋經解》也有這種論

孫覺與春秋經社的學風

述。孫覺被稱是胡安定創立的春秋經社的第一人。從孫覺《春秋經解》的注釋，大抵可以窺知春秋經社的學風。

南渡以後的經解用力於復讎思想的發揚

丙、復讎思想

以《春秋》學的究極在於尊王攘夷的傾向，是植基於有宋一代積弱不振的存在事實。不過宋室南渡以後，隨著國情的變化，也有了對應的經書解釋。一言以蔽之，南宋的經解用力於復讎思想的發揚。當時的學者無論是誰，都以復讎報國爲職志。劉屏山和劉白水都是朱子的老師。劉屏山送別劉白水的〈招劍文〉中，有：

寶劍來兮奉君王，撫四裔，定八荒，時乎時，毋深藏。

又趙鼎自作〈墓石記〉，說：

身騎驥尾歸天上，氣作山河壯本朝。

《周禮》、《禮記》、《公羊傳》的復讎論

陳龍川的〈及第謝恩〉詩，說：

> 復讎自是平素心，勿謂儒臣鬢髮蒼。

朱子的〈戊午讜議序〉序下論述著：

> 國家靖康之禍，二帝北狩而不還，臣子之所痛憤怨疾，雖萬世而必報其讎者，蓋有在矣。（《朱子文集》卷七十五）

復讎思想如此盛行，於經書解釋中，不寄託復讎思想似乎是不可能的。經傳中有關復讎的記載有四。一爲《周禮》的〈地官・調人〉，二爲《周禮》的〈秋官・朝士〉，三爲《禮記》的〈檀弓〉，四爲《公羊傳》。

《公羊傳》不僅是肯定復讎而已，更進一步地鼓吹復讎思想以付諸實現。如隱公十一年，有：

君弒，臣不討賊，非臣也。子不復讎，非子也。

的主張。又莊公四年則有議論齊襄公九世復讎的事。

九世猶可以復讎乎，雖百世可也。

《公羊》學的勃興是由於復讎思想的提倡

由於《公羊傳》有復讎思想的提倡，宋室南渡以後，《公羊傳》的研究勃興。不過《春秋》學中最有特色的卻是立於三傳之外的胡安國的《春秋胡傳》。

《春秋胡傳》的復讎論

胡安國在紹聖四年的進士殿試中，原本是列爲狀元，因爲沒有批判元祐黨人而被降爲探花。其後遭到與王安石同黨的蔡京所詆毀而辭官。隱居以後撰寫〈時勢論〉二十一篇，自負地說：「雖諸葛復生，爲今日計，不能易此論也。」（本傳）辭官之時，高宗聽說他對《春秋》學有精深的研究，乃命令他爲國家撰述一書。胡安國感激知遇之恩，於紹興元年四月起筆，十年三月脫稿，再經過幾次的修訂，前後花費三十二年而完成《春秋胡傳》。此書徹頭徹尾地以復讎來解釋《春秋》，在〈自序〉中，胡安國說：

然尊君父，討亂賊，闢邪說，正人心，用夏變夷，大法略具，庶幾聖王經世之志，小有補云。

《胡傳》是宋朝的《春秋》

即鼓吹復讎思想，藉以挽回南渡以後衰頹的宋室江山。南宋末年，門人趙復被捕，元世祖勸其「引導我元大兵討伐宋朝」，趙復拒絕說「無子以矛攻擊父母之理」。世祖感服他的氣概，懇請趙復教育元人子弟。趙復乃用《春秋胡傳》教育元人。胡安國的《春秋胡傳》是徹底地以經世之用來解釋《春秋》。所以清朝尤侗說：「此宋之《春秋》，非魯之《春秋》也。」（《經義考》卷百八十五引）一方面批評《胡傳》，同時也贊美《胡傳》之有益於世用。繼承《胡傳》經解主旨的是陳傅良的《春秋後傳》十二卷。至於李琪的《春秋王霸列國世紀篇》三卷，也抱持同樣的見解。

《春秋後傳》、《春秋王霸列國世紀篇》

《詩》、《書》、《論》、《孟》的解釋與復讎思想

南宋學者感慨國運衰微而鼓吹復讎思想的，不只是對《春秋》的解釋而已，於《詩經》、《尚書》、《論語》、《孟子》的解釋也是如此。如陳鵬飛的《書傳》、史浩的《尚書講義》皆於〈文侯之命篇〉的注釋中鼓吹復讎思想。又袁燮的《絜齋毛詩經筵講義》、謝枋得的《詩傳注疏》、朱子的《詩集傳》都於〈黍離〉、〈揚之水〉、〈式微〉等詩宣揚復讎思想。至於《論語》的解釋，如鄭汝諧的《論語意原》乃於〈八佾〉、〈微子〉等篇章議論尊王

攘夷。朱子的《集註》則引述胡安國的主張，於〈憲問篇〉的「陳成子殺簡公章」，敍述復讎思想。又在《孟子》的解釋中，也有此類的論說。如陳傅良的《經筵講義》即指出：

> 高宗崎嶇百戰，撫定江右，……孝宗憂勤十閏，經營富强，……陛下豈得一日而忘此邪。（「昔者禹抑洪水……周公兼夷狄」條下）

丁、經世思想

以上是南渡以後，因應國情的需求，而於經解中，鼓吹復讎思想以發揮經書的實用功能。

李覯、王安石的經世

除了鼓吹尊王攘夷與復讎的思想外，運用經書的解釋以提出經世對策的事例也不少。其中最爲有名的是李覯的〈周禮致太平論〉和王安石的《周官新義》。二者皆鑑於積衰不振的國勢，主張以《周禮》的制度作爲起弊振衰的對策。綜上所述，發揮經書的實用意義，是宋代經學的第二個特色。（這一節，參照諸橋轍次：《儒學の目的と宋儒の活動》第二編）

宋儒經解的哲學化乃因佛老的影響

四、經解的形上化

甲、理由

宋代經學的第三個特徵是經書解釋的哲學化和形上化。爲何會演變成這種情形，清朝袁枚《小倉山房集》卷二十一的〈宋儒論〉①指出：

漢儒有兩個系統。一爲箋注家，一爲文章家。箋注家有考據之功，卻流於附會。文章家有潤色之功，卻陷於靡曼。殷鑑於二者之流弊，宋儒乃捨棄經學形而下之器用功能轉而追求形而上之義理，以救漢儒之弊端。又爲區別於魏晉隋唐之儒學，捨其華而就其實。且和佛老之幽眇相比，儒家經典之微言並不彰明，由於要發揮經書之微旨，終究進入佛老之境域。（譯者按：此爲作者敘述大意，非原文）

以爲宋代經學轉變爲哲學化、形上化的原因，乃是宋儒爲了彰明儒家經典微言大義的緣故。換句話說，促使宋儒經解形上化的直接原因，是受到了佛老幽玄哲理的刺激。

【附註】

①夫宋儒之講學，而談心性者，際其時也，氣運爲之也。今之尊宋儒者，亦際其時也，氣運爲之也，是何也？漢後，儒者有兩家：一箋註，一文章。爲箋註者，非無考據之功，而附會不已，爲文章者，非無潤色之功，而靡曼不已。于是宋之儒舍其器，而求諸道，以異乎漢儒，舍其華而求諸實，以異乎魏、晋、隋、唐之儒。又目擊夫佛老家譸張幽渺，而聖人之精旨微言，反有所閟而未宣，於是入虎穴探虎子，闖二氏之室，儀神易貌而心性之學出焉，夫創天下之所無者，未有不爲天下之所尊者也，古無箋註，故鄭、馬尊，古無詞賦策論，故鄒、枚、晁、董尊，古無圖太極而談心性者，則宋儒安得不尊，然而箋註帖括明經之科變矣，詞賦策論進士之科變矣。（《小倉山房集》卷三十一〈宋儒論〉）

乙、事實

《中庸》、《易》的提倡及其意義

宋代對於《中庸》、《易》的研究甚多。對於這種現象，可由兩個方面來說明。其一是以《中庸》與《易》的哲理批駁佛老的玄理。其一是以《中庸》、《易》的義理能超越佛老哲理的儒家經典。無論是何種理由，都可以說明宋代頗用心於二書之研究的事實。就二書解釋的情形來看，有研究佛老的人注解《中庸》、《易》，也有儒者通過《中庸》、《易》的義理來理解佛老。如楊時的《中庸解》、張橫浦的《中庸解》、袁甫的《蒙齋中庸講義》等即是。朱子在所著的〈雜學辨〉中，稱此類的注釋為「陽儒陰佛」。又僧契嵩的《中庸解》則直接以佛家玄理解釋《中庸》。由於《中庸》和《易》的解釋有趨向哲理化的影響，其他經書的解釋也有哲學化、形上化的傾向。這種傾向的風行，正說明以經書哲學化解釋來對抗佛老玄理的儒家意識抬頭的現象。

「仁」解釋的哲理化

茲以儒家中心思想的「仁」的解釋的變遷，說明宋儒經解哲學化、形上化之一端。

先秦對「仁」字的解釋

《書經》和《詩經》已經有「仁」字的出現。不過無論是《書經》或是《詩經》對「仁」並沒有特別的說明，只是意味著「情」的意義而已。《論語》出現了五十八個「仁」，

漢唐儒的「仁」字解

而每一個「仁」字，隨其上下文意的不同，該作如何解釋也並沒有一定。雖然如此，經書所見的「仁」字的內容並沒有甚大的區別。最初對「仁」字作解釋的恐怕是子思的《中庸》。《中庸》第十八章說「仁者人也」。其次是《孟子‧告子上篇》的「仁者人心也」。諸子方面則有《墨子‧經說上》的「仁愛也」、「仁體愛也」。《莊子‧天地篇》的「愛人利物謂之仁」。《韓非子‧解老篇》的「仁者謂其中心欣然愛人」。漢鄭玄注解《中庸》第十八章說：「（仁者）如相人偶之人。」唐韓愈的〈原道〉說：「博愛之謂仁。」

以上是宋代以前的「仁」字的解釋，大抵將「仁」理解成「情」或「愛」，除此以外，並沒有哲理性或形上性的意義。但是到了宋代卻有極大的不同。

宋儒「仁」字解的哲學化

程子說：「仁是性也。」（《論語‧學而篇》集註引）謝上蔡說：「仁者天之理。」張橫浦的《橫浦心得》說：「仁即是覺，覺即是心，因心生覺，因覺有仁。」胡大原在《伯逢問答》中說：「心有知覺之謂仁。」朱子則綜合以上各家的意見說「仁」是「愛之理，心之德。」從宋儒的解釋看來，對於經書的解釋，到了宋代以後，就有哲理化、形上化的傾向。最具代表性的是程明道的〈識仁篇〉，將「仁」的意義作極其哲理化的闡述。清朝劉蕺山批評〈識仁篇〉是：「地位高者之事。」朱子編纂《近思錄》

《論語》是言理之書

時，並沒有收入〈識仁篇〉，就是因爲〈識仁篇〉對於「仁」的解釋過於哲理化的緣故。至於朱子將「仁」解釋成「愛之理，心之德」是頗費心力的。從《朱子文集》第三十一卷的〈答張欽夫〉、三十二卷的〈答張欽夫論仁說〉、〈又論仁說〉、三十三卷的〈答呂伯恭〉、六十七卷的〈仁說〉的論述，可以看出朱子乃用「愛之理，心之德」解釋「仁」，進而提出其思想體系。由朱子對「仁」字的解釋也可以理解宋儒的經解逐漸趨向哲理化的情形。這種傾向也影響到對《論語》的解釋，即不僅是字句的訓詁，更對《論語》作全盤性系統性的論述。陳祥道在《論語全解》的序文指出：「言義理則存乎《春秋》，言理則存乎《論語》。」即以爲《論語》是論述形上哲理的經典。將經解推向哲理化、形上化是宋代經學的第三個特色。（這一節，參照諸橋轍次：《儒學の目的と宋儒の活動》第二編第四章）

第四章　朱子的解經

一、概說

朱子集經學全體大用的大成

著述年表

甲、朱子的地位和著述年表

朱子爲經學界的泰斗是無需贅言的。鄭玄被稱爲融合古文、今文而集漢代經學大成的大儒。其實朱子不僅融合了古文、今文，更是集經學全體大用之大成的大儒。關於這一個問題，參看拙著〈朱子の儒學大成〉。在此論述朱子如何解釋經書的問題。

朱子對於經書的解釋，開始於三十四歲，撰述《論語要義》、《論語訓蒙口義》。於四十三歲時，完成《論語精義》。其後《論語精義》的書名改爲《論語要義》，之後再改爲

有關各經的討論

《論語集義》。至於有名的《論語集註》、《孟子集註》，以及《論語或問》、《孟子或問》、《詩集傳》、《易本義》都在四十八歲時完成的。〈大學章句序〉、〈中庸章句序〉在六十歲，〈大學章句誠意章〉則在七十一歲完成的。此外，有關《書經》〈堯典〉、〈舜典〉、〈大禹謨〉、〈金縢〉、〈召誥〉、〈洛誥〉、〈費誓〉諸篇的注釋是在六十九歲作的。這些篇章都收在《文集》中。其餘沒有注釋的篇章則交付門人蔡沈完成，書名爲《書集傳》。再者，與經書解釋的體例稍有不同的《易學啓蒙》、《孝經刊誤》是在五十七歲時撰述的，《小學》完成於五十八歲時。而〈太極圖解〉、〈通書解〉、《伊洛淵源錄》是四十四歲，《古今家祭例》是四十五歲，《近思錄》是四十六歲，《資治通鑑綱目》、《八朝名臣言行錄》是三十九歲，《困學恐聞》是三十四歲，《楚辭集註》、《楚辭後語》是在七十歲時完成的。以上是朱子經解及其著述的大略年表。

朱子皓首窮經的情形不但從上述的著述可以理解，從《文集》所蒐集的與門人問答的記錄也可以窺知其梗概。茲摘錄《文集》中有關朱子解釋羣經的篇章於下。

討論《大學》的篇章有：

卷二十六〈與陳丞相別紙〉、卷三十一〈答張敬夫〉、卷三十三〈答呂伯恭〉、卷五十〈答潘端叔〉、卷五十一〈答黃子耕〉、卷五十三〈答劉季章〉、卷五十六〈改誠意章說〉、卷五十九〈答余正叔〉、卷五十九〈答陳才卿〉、卷六十〈答王晉輔〉、卷六十二〈答張元德〉、卷六十三〈答孫敬甫（七十一歲）〉（格致）、卷六十三〈答孫敬甫〉

討論《中庸》的篇章有：

卷二十六〈與陳丞相別紙〉、卷三十三〈答呂伯恭〉、卷五十四〈答應仁仲〉、卷五十九〈答陳才卿〉、續卷二〈答蔡季通〉

討論《論語》的有：

卷四十〈答何叔景〉、卷四十五〈答廖子晦〉、卷五十〈答潘端叔〉、卷六十二〈答張元德〉、卷六十二〈答王晉輔〉、卷六十三〈答孫敬甫〉、續卷一〈答黃直卿〉

討論《孟子》的有：

卷四十〈答何叔京〉

與《易》有關的是：

卷三十三〈答呂伯恭〉、卷五十五〈答蘇晉叟〉、卷六十〈黨禁答劉君房〉、卷六十二〈答黎季忱〉、卷六十三〈答孫敬甫〉、別卷六〈楊伯起〉

與《書序》有關的是：

卷三十四〈答吳伯秀〉、卷五十一〈答董叔重〉

與《詩序》有關的是：

卷四十五〈答廖子晦〉、卷五十四〈答孫季和〉

與《詩》有關的是：

卷四十五〈答廖子晦〉

與禮書有關的是：

卷十四〈乞脩三禮箚子〉、卷二十九〈與黃直卿書〉、卷三十八〈答李季章〉、卷四十五〈答廖子晦〉、卷五十〈答潘恭叔〉（七十一歲）、卷五十三〈答劉季章〉、卷五十九〈答陳才卿〉、卷六十一〈答嚴時亨〉（七十一歲）、續卷二〈答蔡季通〉

由討論羣經篇章之多，可以看出朱子極勤於著述立說。接著就上述摘錄的篇章，探究朱子解釋經傳的態度、用心及其經解的特徵。

乙、經傳的辨正

朱子經解的用心與特徵暫且不論，在此首先討論朱子對經傳的態度。漢唐儒者大抵以爲經傳是不變的大典，甚少有疑義。但是到了宋代，特別是慶曆以後，風氣一變，對經傳產生極大的懷疑。朱子也繼承慶曆以來的風氣，對經傳抱持著質疑的態度。在此提出一二事例，述朱子質疑經傳的情形。

疑《詩序》

對《詩序》的懷疑見於《文集》卷四十五〈答廖子晦書〉①，論述對〈大序〉的懷疑。又於《文集》卷五十四〈答孫季和〉②，論述〈小序〉非孔門之舊，而且所謂孔安國的序也非成西漢。根據《黃氏日抄》的記載，朱子對《詩序》的質疑，大抵承襲鄭樵《詩辨妄》的見解。對於朱子懷疑《詩序》，於所著《詩集傳》刪去《詩序》一事，後世頗有異論。如《讀書質疑》③引述王阮亭的說法而批判朱註之失。例如〈鄭風〉、〈衛風〉的〈有女同車〉、〈將仲子〉、〈木瓜〉等詩，都可由《左傳》證明《詩序》所敍述的都是事實，因此朱子刪去《詩序》是錯誤的。在此姑且不論朱子刪去《詩序》的正確性爲何，由《朱子文集》的論述與後世的批評，可以說明朱子是完全否定《詩序》的眞實性的。

疑《書序》

朱子對《書序》的疑問見於《文集》卷五十一〈答董叔重〉一文④。朱子以爲《書序》或許是出自於後世學者之手，雖然沒有確實的資料可以證明自己的說法，但是可以斷定《書序》絕對不是孔子所作的。

以上是朱子對經傳質疑的所在。至於不變的經，朱子也有不少懷疑。

疑《古文尚書》

在朱子之前已有吳才老懷疑《古文尚書》的眞實性。但是朱子以爲吳才老的論述不夠徹底。《文集》卷三十四〈答吳伯秀〉⑤指出，吳才老對〈胤征〉、〈康誥〉、〈梓材〉的辨證是極爲正確的，但是既然已經對《書序》有懷疑，卻沒有指陳其誤謬。從朱子對吳才老的批評，就可以看出朱子是徹底地懷疑《古文尚書》。不僅如此，朱子又於《朱子語類》卷七十八〈尚書綱領〉中，明言孔安國的《古文尚書》是僞書。

佐藤一齋的〈朱子不疑古文尚書辯〉

有關朱子以爲《古文尚書》是僞書一事，佐藤一齋於所著《愛日樓文集》卷二〈朱子不疑尚書辯〉一文論說朱子並沒有懷疑《古文尚書》。

佐藤一齋提出七點證據，說明朱子並沒有懷疑《古文尚書》。其中主要的論證有㈠朱子〈中庸序〉中，提到〈大禹謨〉三字，是朱子不懷疑《古文尚書》的一個證據。㈡《論語集註》有引述〈君陳篇〉的文字，是朱子不懷疑《古文尚書》的一個例證。㈢《孟子集註》提到〈太甲〉、〈泰誓〉、〈武成〉等篇目，是朱子不懷疑《古文尚書》的一個例證。㈣《朱子文集》中有改訂〈大禹謨〉、〈武成〉的自序，是朱子不懷疑《古文尚書》的一個證據。

引述古文中有益於世用的文句，與是否懷疑古文不能相提並論。又引用自己未必確信的典籍及其文句作爲己說的證據，是司空見慣的事。因此，佐藤一齋的論辨不足以說明朱子不懷疑《古文尚書》的事實。

《書經》的改訂

朱子不僅是懷疑經傳的眞僞而已，還進行改訂經書的工作。有關《尚書・武成篇》的問題，《孟子》已經有「吾於〈武成〉，取二三策而已矣」（〈盡心篇下〉）的論說。宋劉敞、程伊川也曾對此篇進行改訂。至於朱子對〈武成篇〉所作的改訂，則見於蔡《傳》中。

《大學》的改訂

對於《大學》，朱子也著手改訂。朱子繼承二程的說法，再加上自己的見解，將《大學》分爲經、傳，即今日所見的形式。又《文集》卷三十三〈答呂伯恭〉⑥也記載著「知之至也」有闕文脫簡的議論。

《孝經》的改訂

與分《大學》爲經、傳一樣，朱子也將《孝經》改訂爲經、傳的形式。即自「仲尼閒居」至「自天子以下至庶人，孝無終始，而患不及者，未之有也」爲經一章，其他則爲傳。即今日全書十四章的形式。

《禮記》的改訂

朱子也對《禮記》作了若干的改訂。即將禮記中屬於儀禮的部分當作經，其他的則爲傳。不過，分《禮記》爲經、傳的工作，並沒有完成。根據《文集》卷五十〈答潘恭叔〉⑦的敍述，朱子將禮分爲五類。第一類是上下大小通用的禮。第二類是國家的大制度。第三類是禮樂之說。第四類是論學之精語。第五類是論學之粗者。但是此時朱子已經七十一歲，精力既衰，乃囑託潘恭叔於日後妥善地完成對禮的分類。

以上是朱子疑經、疑傳的事例。疑經、疑傳雖然與解經未必有直接的關連，但是由朱子之敢於質疑漢唐儒者之以爲不變的經傳，可以理解朱子始終是執著卻又極爲自由地解釋經傳的態度。

【附註】

①〈大序〉之文亦有可疑處，而〈小雅〉篇次，尤多不可信，此未易考。（《朱子文集》卷四十五，〈答廖子晦〉）

②〈小序〉決非孔門之舊，安國〈序〉，亦決非西漢文章。（同卷五十四，〈答孫季和〉）

③王阮亭曰：朱子諸註，莫善于《楚辭》，莫不善于三百篇，當以〈小序〉爲主，而以毛、鄭、歐、蘇、呂、嚴諸家之說參互之，如《鄭》、《衞》二風〈有女同車〉、〈將仲子〉、〈木瓜〉諸詩，皆《左傳》本事可證，何可以臆度之。（《讀書質疑・朱註之失》）

④〈書序〉恐只是經師所作，然亦無證可考，但決非夫子之言耳，（《朱子文集》卷五十一，〈答董叔重〉）

⑤近看吳才老說〈胤征〉、〈康誥〉、〈梓材〉等篇，辨證極好，但已看破〈小序〉之失，而不敢勇決，復爲序文所牽，亦殊覺費力耳。（同卷三十四，〈答吳伯秀〉）

⑥「此謂知之至也」一句，爲五章闕文之餘簡無疑。（同卷三十三，〈答呂伯恭〉）

⑦分爲五類，先儒未有此說，第一類，皆上下大小之禮，第二類即國家之大制度，第三類乃禮樂，第四類皆論學之精語，第五類論學之粗者也。（同卷五十，〈答潘恭叔〉）

《禮記》須與《儀禮》相參通修作一書，……熹則精力已衰，……恭叔暇日能爲成之，亦一段有利益。（同上）

二、探求作者的原意

甲、解經家的各種態度

朱子解釋經書的特色是探究所有經書的原意。提到探究經書原意的事情，或許有人會聯想到有多少人注釋經書，其實也不盡然。

魏源論讀詩之法

清朝的魏源嘗論讀詩的方法說：有作詩者之心、有采詩、編詩者之心、有說詩者之心、有賦詩、引詩者之心。僅就《詩經》而言，這種說法是沒有問題的。經書在成立的當時，必然有作者的思想。後人解釋經書，則必然有該人的見解，或者有引用經書

在文士的封事中發現皇極說的適當解釋

者，也必然有引用者的用心。換句話說，歷來解釋經書者，都有各人的想法。如就《詩經》來說，《鄭箋》是就解經的立場，專注於詩的內容的闡述。至於朱子則用心於作者原意的探究。

乙、解讀原文

朱子既執意於經書原意的探索，就未必參採古人的注解。朱子曾對自己所作〈皇極辨〉抱持著一些疑點，在看到文士馮當可的封事之後，才解除疑惑而體會到正確的解釋。朱子感嘆地說：「專經之士無及之者，而文士反能識之。」此事明記於《文集》七十二的〈皇極篇〉中。朱子以爲採信傳註，反而不免要遭致錯誤。不如平心靜氣地解讀原文，比較能體會經書的正確的解釋。朱子就是用這種態度來解釋所有的經書的。故在《文集》四十八〈答呂子約〉①指出，《易》、《詩》等經書由於先儒的穿鑿附會，已經無法理解其原意，所以讀此類經書的人，不如專注心意於原文的解讀，或許能眞確地解釋經書的原意。

汲取作詩者純眞的性情

論後人有失文王、周公之原意

丙、《易》是卜筮，〈鄭〉、〈衛〉是淫詩

朱子貫徹以探究經書原意的態度來注解六經，因此對《易》的理解，是不取義理而採占筮，對於《詩經》的解釋，則不採《詩序》或《毛詩》、《鄭箋》的道德之說而以發揮詩人素樸的性情爲究極。《文集》三十三〈答呂伯恭〉②說：讀《易》者，以理解卦辭、爻辭本來是爲卜筮而作爲第一要事。又論述後人只重視孔子所說的義理而忽略文王、周公所作的卜筮的原意也是錯誤的。至於《詩經》的內容，《文集》卷四十五〈答廖子晦〉指出〈鄭風〉與〈衛風〉的詩篇篇都是淫詩。

朱子對《易》、《詩》的看法，都可以證明朱子汲汲於探究作者原意的解經態度。

【附註】

①如《易》、《詩》之類，則爲先儒穿鑿所壞，……直是要人虛心平氣……。（《朱子文集》卷四十八，〈答呂子約〉）

②讀《易》之法，竊疑卦爻之詞，本爲卜筮者斷吉凶，而因以訓戒，至〈彖〉、〈象〉、〈文言〉之作，始因其吉凶訓戒之意，而推說其義理，以明之，後人但見孔子所說義理，

以漢儒解經法爲上乘

而不復推本文王、周公之本意，因鄙卜筮……若但如此，則聖人當時自可別作一書明言義理以詔後世，何用假託卦象，爲此艱深隱晦之辭乎。（同上，卷三十三，〈答呂伯恭〉）

〈鄭〉、〈衞〉之詩，篇篇如此，乃見其風俗之甚不美，若止載一兩篇，則人心爲是適然耳。（同上，卷四十五，〈答廖子晦〉）

三、尚簡易直截

甲、注不可成文

朱子解釋經書的第二個特點是所有的解釋都以簡易直截爲要。根據《文集》卷三十一〈答張敬夫〉①的敍述，自己過去在解釋《中庸》的〈愼獨章〉與《大學》的〈誠意章〉時，所要說明的事理太多，因此，用字過於繁瑣。接著又說：凡是經書的注解像在作文章也是不對的。如果像在作文章的話，注解和經文就沒有分別了。

關於簡易直截的要求，漢儒的確得到解經的要領。對於經書的注釋，只訓詁該注解字句，使讀者在理解經書的意義時不至於穿鑿。這種方法才是解釋經書的上乘。又《文集》卷五十九〈答陳才卿〉②也說：由於以前所撰述的《中庸章句》過於冗長，因此才需要改訂。如此可知，簡潔的注解是朱子解釋經書的著眼點。

乙、倣法漢儒

訓詁不因襲宋人的支離曼衍

朱子主張經書的注解是以簡潔爲貴，因此在解釋經典時，取法漢儒訓詁方法的地方甚多。朱子在解釋經書上頗有別出新裁的所在，如以「主一無適」說明「敬」的意義，以「愛之理，心之德」解釋「仁」的內容等，異於前人的訓解比比皆是。但是就字句訓詁而言，絕對沒有因襲宋人支離曼衍的習套。

在《論語訓蒙口義》一書中，朱子說明自己的注解是「本之註疏、以通其訓詁」。至於《論語集註》的注解，大半是漢唐的古注，或是以經傳的文句探究其原始的根據。這是熟讀朱子《論語集註》的人所周知的。清朝潘衍相曾讓詁經精舍的學生找出朱子《論語集註》所引述的經傳的出處而完成《朱子論語集註訓詁考》上下二卷。由此可知朱子的解釋是非常重視前代的訓詁。

【附註】

①舊讀《中庸》「愼獨」、《大學》「誠意」「毋自欺」處，常苦求之太過，措詞煩猥，近日乃覺其非，此正是最切近處，最分明處，乃舍之而談空於冥漠之間，其亦悞矣。……亦覺向來病痛不少，蓋平日解經，最爲守章句者，然亦多是推衍文義，自做一片文字，非惟屋下架屋，說得意味淡泊，且是使人看者，將注與經作兩項，功夫做了下，稍看得支離，至於本旨全不相照，以此方知，漢儒可謂善說經者，不過只說訓詁，使人以此訓詁，玩索經文，訓詁經文不相離異，只做一道看了，直是意味深長也。（同上，卷三十一，〈答張敬夫〉）

②《中庸》亦更欲删訂，大抵舊書太冗也。（同上，卷五十九，〈答陳才卿〉）

四、著述的用意

甲、唯恐遺誤後人

朱子解釋經書而最讓人佩服的是注釋態度的審愼。這也是一般人在研究上所需要留意的事。朱子之解釋經書與後人一味地成名求利迥異，朱子常抱著著作一定要有益於天下人，才著手撰述。

〈太極〉、〈西銘〉二解問世的原由

朱子在五十八歲時作的〈題太極西銘解後〉①（收錄於《文集》卷八十二）說：本來撰述〈太極〉、〈西銘〉二解時，並沒有公諸於世的打算。但是感嘆當時儒者對二書的議論，幾乎文義不通，而且妄意攻伐，才將二解示諸門下學生。

《易傳》出版的態度

又七十一歲所寫的〈答孫敬甫〉②（收載於《文集》卷六十三）說：自己所撰寫的《易傳》並沒有經過詳細的推敲，所以不敢出版。現在已經年邁了，再也不可能修改訂正了，因此才出刊問世。由這些敍述，大抵可以理解朱子著述的用心與態度。

著述被盜印，因是未定之說，恐有誤後人

朱子的著作在生前曾幾度被盜印。《文集》卷二十七的〈答詹帥書〉③說：《中庸》等二三書曾被盜印，結果因爲當時的情勢而遭受嫌疑。如《中庸》九經的部分若被指爲有犯上，也百口莫辨。此類書都在自己不知情的情況下被盜印的，因此不免存有遺憾。《文集》卷五十四的〈答應仁仲書〉④也提到此事。又《文集別集》卷一的〈答劉德脩〉⑤、《文集續集》卷一的〈答黃直卿書〉⑥說：《大學》、《論語》、《孟子》在南康被盜印。《文集別集》卷六的〈答楊伯起書〉⑦說：《易》在自己尚未入手之前，即被盜印。對於盜印的事，朱子並不追究盜印的罪嫌，只在乎被盜印的書大抵都是未定案的假定之說，唯

感嘆《大學》、《論語》、《孟子》的注解問世太早

〈大學誠意章〉改訂於過世前三天

恐遺誤後人，造成無窮的遺憾。《文集》卷二十七的〈答詹帥書〉[8]也說：自己並不是極端地保護自我，只恐懼妄意爲之的著作不但無補於斯道斯民，反而遺禍千年。

《續集》卷二的〈答蔡季通〉[9]指出：《大學章句》應該修正的部分還有不少，卻被盜印而公諸於世，恐怕會亂道誤人。又《文集》卷六十二的〈答張元德書〉[10]也對《論語集註》、《孟子集註》在未完全訂正妥善之前即被盜印而感到遺憾。由朱子的敘述中，可以了解朱子是如何愼重地從事解經的工作。

乙、死而後已

朱子以爲解經是一生的大事。朱子在《文集》卷五十九的〈答余正叔〉[11]一文中感嘆地說：對於《大學》與《易》的解釋，需要修正改訂的地方甚多，但是義理無限而心力卻有限，唯有盡力爲之，死而後已。朱子死於慶元六年三月甲子，〈大學誠意章〉改訂於同年三月的辛酉，即朱子過世前三天。朱子果眞實現了死而後已的典訓。再者，〈文集〉卷八十六收載有〈刊四經完成告先聖文〉[12]，敍述《四書》的注解完成時，撰文奉告先聖文宣王、先師兗國公、鄒國公。由此可知朱子傾注全力於經書的解釋，於告成之時，示諸聖賢，企求無赧於儒學傳承。

朱子的苦心經營不只是傾注心力於經書的解釋，財政上的困境與由於當時頒布僞學之禁而蒙受不少迫害，友人也極不願意伸出援手。此類情事詳細記載於《文集》卷五十三的〈答劉季章書〉⑬中，朱子是何其艱難的情況下，完成其萬世不朽的名山事業。

【附註】

①始予作〈太極〉、〈西銘〉二解，未當敢出以示人也，近見儒者多議兩書之失，或乃未當通其文義而妄肆詆訶，予竊悼焉，因出此解，以示學徒，傳廣其傳。（《朱子文集》卷八十二，〈題太極西銘解後〉）

②《易傳》初以未成書，故不敢出，近覺衰耄，不能復有所進，頗欲傳之於人。（同上，卷六十三，〈答孫敬甫〉）

③乃聞已遂刊刻，聞之惘然，繼以驚懼。……況所說經，固有嫌於時事，而不能避忌者。（如《中庸》九經之類）指爲訕上，而加以刑誅，亦何不可乎。（《朱子文集》卷二十七，〈答詹帥書〉）

④《中庸》等書，未敢刻，聞有盜印者，方此追究未定，甚以爲撓也。（同上，卷五十四，〈答應仁仲〉）

⑤某所爲《大學》、《論》、《孟》說，近有爲刻板南康者，後頗復有所刊正。（同上，《別集》卷一，〈劉德脩〉）

⑥南康毀《語》、《孟》板，……只此禮書，傳者未廣，若被索去燒了，便成枉費許多工夫。（同上，《續集》卷一，〈答黃卿直〉）

⑦《易》……某之謬說，本未成書，往時爲人竊出印賣，更加錯誤，殊不可讀，不謂流傳已到凡間。（同上，《別集》卷六，〈楊伯起〉）

⑧熹非自愛而憂之，實懼其不知妄作，未能有補於斯道斯民，而反爲之禍也。（《朱子文集》，卷二十七，〈答詹帥書〉）

⑨《中庸》所改，皆是切要處，前日卻慢看了，所以切己功夫，多不得力，甚恨其覺之晚也，《大學》亦儘有整頓處，亂道誤人，可懼可懼。（同上，《續集》卷二，〈答蔡季通〉）

⑩《論孟集註》，後來改定處，多與《或問》，不甚相應；又無功夫修得，《或問》故不曾傳出，……參考《集註》更自思索爲佳，不可恃此未定之書。（同上，卷六十二，〈答張元德〉）

⑪熹歸家，只看得《大學》與《易》，修改頗多，義理無窮，心力有限，奈何奈何，唯需畢

力鑽研，死而後已耳。（同上，卷五十九，〈答余正叔〉）

⑫敢昭告于先聖文宣王，先師袞國公，先師鄒國公。（同上，卷八十六，〈刊四經成告先聖文〉）

⑬禮書，……蓋可借人處，皆畏僞學之污染而不肯借其力，……不免雇人寫，但資用不饒，無以奉此費耳。（同上，卷五十三，〈答劉季章〉）

五、朱注的批評

朱子本人對《易本義》、《詩集傳》並不滿意

朱子的注解，並不是完全沒有缺點。朱子自己對《易本義》與《詩集傳》也不是極爲滿意。清朝吳震方《讀書質疑》的〈朱子傳記〉一文即說明了此事。同時此書也提出朱注的缺失，列舉朱子《詩集傳》妄自删去〈詩小序〉的錯誤。

諸家指出朱注之誤

錢大昕的《十駕齋養新錄》卷一的〈朱文公本義〉①一文指出朱子《易本義》有不少粗漏，甚至於如李衡《義海撮要》所敘述的，朱子有不知道注解出自何人的所在。錢大昕《十駕齋養新錄》卷三的〈論孟集註之誤〉②一文引述閻若璩的說法，列舉《論語集註》與《孟子集註》誤謬的所在。又清朝田同之《西圃叢辨》卷十二的〈朱子引用誤字〉③列舉了

微不足道的批評正可以說明朱子的解釋是中肯的

朱子解釋的獨佔性地位是當然的事

朱子《易本義》連淺而易見的誤字也引用的事例。

這些指摘當然是正確的，但是不免過於細微。而這樣的批評正好可以說明朱子的經解是中肯的。

如此看來，朱子的經解果眞能獨步古今中外。元仁宗以經義取士，是以朱子《集註》爲定式，明太祖頒行以《集註》爲科舉取士的定奪標準。自此以來，朱註流傳於朝鮮和日本。皆證明長久以來朱子的經解有其獨佔性地位的事實。

【附註】

①《賁・彖傳・本義》云，先儒說，「天文」上，當有「剛柔交錯」四字。不云先儒何人。案：王輔弼注，剛柔交錯以成文，天文也。《釋文》、《正義》俱不言經有脫文，唯李衡《義海撮要》，載徐氏說「天文也」上，脫「剛柔交錯」四字，《本義》所稱先儒，即其人也，名字未詳。〈既濟〉「亨小」當爲「小亨」，此胡瑗說也。「能研諸侯之慮」，「侯之」二字衍，此朱震說也。皆見《義海撮要》。（《十駕齋養新錄》卷一，〈朱文公本義〉）

②閻百詩擧《論語》、《孟子集注》之誤，謂：季文子始專國政，不待武子；蘧伯玉不對而

出，無關甯殖；子糾、兄而非弟；曾西、子而非孫；武丁至紂九世，非七世；或勞心四語，皆古語，「四」當作「六」；不衣冠而處，譌《說苑》爲《家語》；農家者流，譌班固爲史遷；滅夏后相，乃寒浞而非羿；去魯司寇，則適衞而非齊；戟有枝，兵戈平頭，戟其器，各別，不得即以戈爲戟；麋澤獸，鹿山獸，其類各別，非有大小之分。（《十駕齋養新錄》卷三，〈論孟集注之誤〉）

③《朱子本義》「鼓萬物而不與聖人同憂」，引張子「天地無心而成化，聖人有心而無爲」。據本書，乃是「天地不宰而成化」，「不宰」字有理，復其見天地之心，豈可謂「天地無心」乎！「參伍以變」注，引《韓非子》「參之以比物，伍之以合參」，據本文，乃是「伍之以合虛」。比物合虛，皆參互考之，以知之虛實也，若云「伍之以合參」，則上文當云「參之以比伍」矣，原其誤，乃是荀子注中引此，朱云自荀注而見之，原不自《韓非子》中采出也。（《丹鉛錄》）（《西圃叢辨》卷十二，〈朱子引用誤字〉）

結語

以上略述了唐宋經學的歷史。本來要說明的事情還有不少，但是因爲時間只有八個小時，僅能作這樣簡略的整理。第一章〈唐代經學概觀〉，是以列舉經學史上所發生的具體事象爲主。第三章〈宋代經學概觀〉，是以經學史上所產生的風尚習氣爲主。其實，前者也有像後者一樣，有唐代的風尚習氣而值得論述的，後者也有像前者一樣，有宋代的具體事象而值得說明的，因爲時間的關係省略了。第二章〈五經正義〉是唐代經學界最重要的事情，第四章〈朱子的經解〉是宋代經學界的大事，因此各用一章來敍述，以意味其價值等同於全唐、全宋經學史。在論述方法上，一章、三章和二章、四章其精粗的程度各有不同，可各別再行增補。〈五經正義〉的說明是以成立的經緯、優劣、根據爲主，〈朱子的經解〉則以解釋的態度和用心爲主。當然，《五經正義》的編修態度和用意，朱子經解成立的經緯、根據與長短也應該論述，也由於時間的關係省略了。至於修辭上則採用「互文法」。例如〈葛覃〉詩的「薄汙我私，薄澣我衣」的文句，前句「私」的字義已經包含了「公」的意義，後句的「衣」則包含了「裳」。換句話說「薄汙我私，薄澣我衣」是說「稍微弄髒了我個人的衣裳，簡單地洗我正式場合穿的衣裳」。我這篇短文也由於時間短促，而用省略文字的修辭法。也就是運用「互文法」而撰寫論文的一個例子，希望諸君能舉一反三，這是我衷心所企望。

第三篇

元明的經學史

小柳司氣太述
連清吉譯

第一章　元代經學概觀

一、元代朱子學派概說

儒學即聖人之學，皆可謂之爲經學，離經學即無儒學。漢學與宋學皆經學。滿清建國理想的王道即經學的實現。但是今日所謂的經學並不是這個意思；而是文獻學。文字，即字義訓詁的研究、書籍流傳的眞僞鑑別，亦即所謂的漢學考證學。此考證學發達於清朝，不僅是字義訓詁，是利用天文學、地理學、考古學等科學方法的研究，乃是漢學極度發達的學問。衆人所謂的經學，並非哲學思想之宋學性的學問，而是文獻學。

就這個意義而言，元明是積弱不振的時代，特別是明代，是中國經學史上最爲不振的時代。可以敍述的材料極爲貧乏。

元代經學即朱子學

有元一代凡八、九十年。其學術有朱子學與非朱子學。朱子學可以說是當時的經學。

元興起於蒙古地方而統一中國，其文學與學術遠不及於南宋，朱子學之被理解，也是極爲後來的事。

趙復爲元人說朱子學

元太宗時，與宋戰於德安，捕虜趙復。趙復被捕時，即有殺身殉國的決心。元太宗的大臣姚樞素聞趙復的學識，力諫之，不死。由於趙復的傳授，元人始知朱子學。建太極書院，祭祀周濂溪等，將大量的宋學書籍收藏於太極書院。

姚樞一族，即姪子姚燧是著名的文學家，著有《牧庵集》。有元一朝的學術乃得力於趙復與姚樞二人的提倡。趙復號江漢先生，傳記收於《牧庵集》卷四。有許衡、郝經、劉因三人傳其學。

許衡之學與著書

許衡，號魯齋，爲宋學者。有關經學的著作有《讀易私言》。此書收於《許魯齋遺書》中，也見於《通志堂經解》。又有《魯齋心法》一書，乃收錄《遺書》語錄而成的。

郝經其人與著書

郝經忠君愛國，人格近似於西漢的蘇武。爲元出使宋，遭宋幽拘多年，始終守節不屈。文集《陵川集》，頗多涉及經術文章。又有《續後漢書》的著述。其師爲金的元遺山。

劉因其人與著書

劉因曾應元的徵辟，不久即請辭而以處士終其一生。其行誼見載於《靖獻遺言》。又有關許衡與劉因的出處進退，於《宋元學案》卷九十一記載有之。劉因的著述有《四書集義精要》（未見）與文集《靜修集》（收於《四部叢刊》）。

許魯齋、郝經、劉因都是理學家，而非經學家，其中以許魯齋較爲特出。

又宋學研究上，有承繼朱子弟子黃榦學問的一派。乃從朱子學的立場注釋經書。其代表人物有許謙、胡方平、胡一桂、胡炳文等人。

許謙的著書

許謙著有《讀四書叢說》、《讀書叢說》、《詩集傳名物鈔》、文集《白雲集》等書，都收錄於《金華叢書》。

胡方平、胡一桂、胡炳文的《易》學

三胡通曉《易經》。胡方平著有《易學啓蒙通釋》，其子胡一桂有《易學啓蒙翼傳》，族人胡炳文著有《周易本義通釋》、《四書通》。皆收入《通志堂經解》。又胡炳文有《雲峯集》。

諸注釋不墨守朱子學

以上諸注釋一如明代的學風，並非純然地墨守朱子學，是研究性的注釋，爲理解朱子經學的必備書目。

「四書」一名是誰開始使用的？

四書之名始用於張橫浦

據翟灝的《四書考異》說：宋張橫浦，號無垢，注釋《大學》、《論語》、《中庸》、《孟子》，而稱爲《四書》。見於《宋史．藝文志》。「四書」之名由此始。張無垢參悟禪學，朱子攻擊張橫浦，甚於洪水猛獸。（見於《文集》卷七十二的〈雜學辨〉）歷來以爲「四書」一名爲朱子所定，據翟氏所說，則始於朱子比之爲洪水猛獸的張橫浦。唯近時上海重印《張橫浦文集》，並沒有收錄其有關《四書》的注釋。又「四書」又名「四子」，見《朱子文集》卷八十二。

元儒明注朱注出典者多

依程子之說，《四書》的順序爲「大學、論語、孟子、中庸」，由此四種書目，可以理解宋學的體系。由此可知，《四書》並非只是四種書目的複合名詞。元代儒者對於朱子的《四書章句集註》之研究，大抵以標明其典故出處者居多。

有關元人《四書》的注釋，除上述的胡炳文的《四書通》以外，還有詹道傳的《四書纂箋》（收於《通志堂經解》）。此書與趙悳《四書箋義纂要》並爲研究朱註出典的必要書目。（趙氏書收於《守山閣叢書》）

綜上所述，元代朱子學者異於明代朱子學者的是不盲從朱子的論述，匡正朱子誤謬，究明朱注源委的，爲數並不少。

朱子學在朱子有生之年中，被稱爲僞學而遭受迫害。但是，到了理宗時則被尊崇，元代則以朱子學爲科學的標準之一。據《元史・選擧志》的記述，仁宗時（西元一三一四年）制定科擧制度，採用朱子學。即「《四書》、《詩經》用朱子注，《書》採蔡《傳》，易以程子《易傳》與朱子《本義》。《四書》又兼用古注，《春秋》則是三傳與胡氏《傳》，《禮》則用古注。」元代科擧雖以朱子學爲主，卻沒有全然地捨棄古注，也採用三傳之說，因爲迥異明代的固陋，應學者非熟讀古注與宋代注疏不可。明代只要熟讀政府所制定的《四書大全》、《五經大全》，即可合格及第，故明代經學極爲固陋。

以上是元代朱子學的概要。以下敍述朱子學以外之經學研究的梗略。

二、元代諸經學家概說

首先值得敍述的是黃澤，黃澤字楚望，著有《易學濫觴》。（收於《經苑》）黃澤的識見與學問都極高。但是卻不爲世人所知而不遇以終。《易學濫觴》雖只有區區二三十頁，卻頗有價值。《易》本爲象數，漢代《易》學皆象數，至王弼，捨象數而重義理，並參酌黃老之說。因此，漢代《易》學鮮爲後世所知。朱子著《本義》而論義理，著《啓蒙》而論象數。可知宋代學者並未完全捨棄象數；但是宋學之論象數，大抵依據〈河圖〉、

〈洛書〉。黃澤《易》學的眞義亡佚，主張以漢《易》探究以象數爲本的《易》學。清代惠棟、張惠言重漢《易》，而研究象數。可知，黃澤是清代《易》學的先驅。

趙汸的《春秋》學

趙汸是黃澤的弟子，字東山，著書極多。精於《春秋》學，有五種著作，或補《左傳》之注，或發明其師黃澤之說。其中四種收於《通志堂經解》中。歷來主張《春秋》是孔子依據魯國舊史而刪削以成的。又有大義名分、寓勸懲之意。然則魯史亡佚不存，《春秋》之說頗難爲人所採信，僅《公羊傳》有「不修春秋」之說而已。三傳、傳例之設釋例，以說明勸善懲惡之義，其有不合旨意的所在，則稱之爲例外。因此，《春秋》的本義不明。趙汸以爲：「《春秋》是孔子依魯史而作成的，完全採錄史官的記載而無筆削之事。因爲孔子不可能以個人的私見而刪削公家所編纂的記錄。只是時有轉易，周公以來所制定的史家筆法未必能曲盡說明時事，故可筆則筆，可削則削。」於是援引數十條事例，以說明其論證。趙汸的《春秋》，大抵以《左傳》而參考杜預的注。

吳澄的《易》學

吳澄，號草廬，諡文正公。文集有《吳文正公文集》。經解則有《易纂言》、《書纂言》（以上二書收入《通志堂經解》）、《春秋纂言》、《禮記纂言》等四纂言。吳澄的經學頗具慧眼，但是對於經傳的解釋却不免流於武斷。如《易》以象數爲主，以《易》的古本爲定本。古《易》乃是經文、〈文言〉、〈象〉、〈象〉別行，後世爲了便利，合併而成今日所見的體裁。宋代呂祖謙等人爲了保存古本的面目而復古，朱子依之。吳澄則依照呂祖謙的古《易》本，並參考漢代《易》學，而匡正文字的謬誤、〈繫辭傳〉的缺失。

吳澄不信《古文尚書》

《書纂言》完全不採《古文尚書》。宋代的吳棫、朱子等人對《古文尚書》固然頗有質疑；但是還不至於捨棄不採。吳澄以爲《古文尚書》並非《書經》，只採信《今文尚書》以爲注解。此爲吳澄的見解，又不免有獨斷的嫌疑。

吳澄的改經

疑經之事始於漢代，鄭玄即有改正經書文字缺誤的所在。後世則不限於文字，也對文句進行修改，如朱子之刪改《大學》與《孝經》即是。可知宋代疑經成風。至元益盛，吳澄之肆意改經，即是其證。

敖繼公的《禮》學

元代的《禮》學研究，除了吳澄的《禮記纂言》以外，又有敖繼公的《儀禮集說》。以補鄭玄之說而頗有好評。收入《通志堂經解》中。

三禮的研究，古來即不能超出古注的範圍。

第二章　元代的思想界

陸象山學派

就思想大勢而言，元代是以朱子學爲主，不過陸象山學派也隱然有其勢力。如趙汸的學問則頗多闡述陸象山的學說，此由他的文集《東山存稿》可見其一端。吳草廬則折衷朱陸的學說，鄭玉亦同。鄭玉著有《師山文集》，學說梗略見於《宋元學案》。另

陳天祥攻擊朱子及其根源

外，極力攻擊朱子學說的，則有陳天祥的《四書辨疑》（收於《通志堂經解》）此書與清毛奇齡的《四書改錯》並稱爲攻擊朱子學說的雙璧。《四書改錯》不免批評過於激烈，清同治年間，楊希閔著《四書改錯平》，爲朱子平反。

遼金之學

陳天祥是根據金王若虛之說而抨擊朱子學的。遼金元的時代中，遼有二百多年，卻沒有出現知名的學者，《四庫全書》所收遼人的著作，也只有五部而已。比較爲人所知的，也只不過是《龍龕手鑑》而已。至於文章，則有繆荃孫收集的《遼文存》。金的文風較盛，除了各家的別集，還有總集性的《金文最》、《金文雅》。

思想方面，有趙秉文、李屏山等人提倡「儒佛一致論」。披閱趙秉文的《滏水集》，卻無儒佛一致論的文章，或許爲後人所刪削而不存於文集中。李屏山的著作，有《鳴道集說》。宋學痛陳佛教的缺失，李氏《鳴道集說》則一一指陳宋學詆詈佛教的謬誤所在。（詳見《宋元學案》卷一百〈屏山及佛祖通載〉卷卅一）此書頗爲可貴，中國收藏的並不多，日本則有赤松連城的刊行本。

詩人則有著名的元遺山。金位處朔北，元氏的詩文帶有剛健高朗的風格。

王若虛對朱子的批評

王若虛爲金人學者，文集有《南遺老集》。其中關於經書論述的有《論語辨惑》、《孟子辨惑》等隨筆。王氏指出，朱子的解釋過於深奧，將孔子神佛化。故經書的解釋過於高遠，則不能體得聖人的眞義。《朱子語類》卷十一列舉談經四病，其中之一爲「本卑也而抗之使高」。通覽《章句集注》，朱子注的本身即有此種缺失。王若虛的此一論說，正是陳天祥《論語辨疑》的根據所在。

第三章　明代經學概觀

一、明代朱子學派概說

元明是中國經學史上最無可觀的時代，而以明爲甚。元雖以朱子學爲科舉考試的依據，卻未必是純粹的朱子學，間或參酌漢唐的注釋。但是到了明代，卻有了遽變。永樂年間，敕撰《四書大全》與《五經大全》二書。其主要依據則是朱子學者的著述。以五經而言，《三禮》中的《禮記》，只採取元朱子學者陳澔的注。（陳注極爲淺陋，參考《通志堂經解》納蘭性德的《集說補正》）《春秋》只用《胡傳》。

由於以二《大全》爲科舉考試的依據，天下學者就不看其他的書，學者就相形地固陋無聞了。另外，文體也有變革，即流行所謂的「八股文」，科舉應試完全以八股文

《四書大全》、《五經大全》的敕撰

科舉用《大全》、八股文

取代古文。如顧炎武所說的，明代是「自八股文行而古學棄、《大全》出而經說亡」（《日知錄》卷十八）的時代。（《大全》敕撰時所使用的材料，詳記於《日知錄》）

在經學積弱不振的時代中，敍述其經學研究的話，於朱子學者中，則有蔡清。

蔡清不盲從朱子

明代朱子的經說大抵是大同小異。不過蔡清（號虛齋）的《四書蒙引》與《易經蒙引》二書則稍有不同。蔡氏雖是朱子學者，卻未必盲從朱子的學說。對於《易經》的論述頗能補充朱子《本義》的不足。因此蔡清的二《蒙引》是今日讀朱注所必須參考的著作。蔡氏有文集《虛齋文集》，是有明一代朱子學者中的佼佼者。

二、明代諸經學家概說

廣泛地考察明代經學研究的情形，有關《易經》研究而較著名的有兩種。

來知德的《易》說

一爲來知德的《周易集註》。來氏以《易》的象數研究爲主，自稱：孔子歿後二千年，《易》之眞道不著者，以象數不顯之故也。潛心研究《易經》數十年，終得明其精神。來氏的研究主要是根據漢《易》的互體。

所謂互體，是六十四卦中的任何一卦，都是第二、三、四爻爲一卦，第三、四、五爻爲一卦。足資占筮的參考。

六十四卦又可分爲錯卦和綜卦。錯卦是漢《易》所謂的旁通，如夬與剝、內卦與外卦，是相對而言的，乃從乾坤六子的對比而來的。

兌上乾下 夬
艮上坤下 剝

所謂綜卦，如屯與蒙，二者卦爻爲顚倒。

屯 ䷂ 蒙 ䷃

來氏的互體之說，宋人已經有所留意了，如邵康節的詩，「三十六宮都是春」，即在歌詠這件事情。因此，來氏的注解，並非發前人所未發。

何楷的《易》說

何楷的《古周易訂詁》又是其一。此書爲後世學者所熟知。旁徵博引，以爲論斷的根據，比來氏注釋更有可觀之處。確信〈河圖〉、〈洛書〉之說，雖然是缺點，仍然不失爲漚心瀝血的精心之作。

何楷的《詩》說

何楷又著有《詩經世本古義》一書。辨明詩的作者及時代，是此書的可貴之處。當時除了《毛傳》的《序》以外，沒有其他資料可以作爲論斷的根據。何氏根據其他種種材料斷定三百十五篇詩的時代，此乃是書名爲「世本」的原因所在。原本不能判別的，何氏都加以辨明，雖然一般人以爲何氏之說武斷不可信，但是此書與《古周易訂詁》並爲精心之作，是研究《詩經》的必備書目。

梅鷟的《古文尙書》研究

關於《書經》，有梅鷟的《尙書考異》。此書是有關《古文尙書》的研究。《古文尙書》是僞古文一事，宋朱熹等人已有質疑，元吳澄等人也以爲是僞作而將之削除。不過其爲僞書的理由卻沒有清楚地指出。梅鷟考察《古文尙書》的出典，以爲此書原本即非完整一篇的文字，而是經過整合的著作。如此細密的考證，到了清朝閻若璩而有大成。

陳第的音韻研究

陳第著有《毛詩古音考》，主要是研究《詩經》的音韻。《詩經》音韻的研究始於與朱子同時代的吳棫。朱子也引用吳棫的叶韻說，說明《詩經》的音韻。後代音韻學的理論逐漸彰明，吳、朱的音韻理論，常遭人批評，陳第即是其中的一人。清朝顧炎武等人有系統地論述音韻，其實陳第實爲開創音韻學理論的先聲。

禮的論述無可觀

三禮的著述了無可觀，只有元陳澔的論述稍值得一提。

《春秋》原有五傳，鄒氏、夾氏二傳早已亡失，到了漢代僅存三傳。宋代《胡傳》問世，主張孔子乃以天子的立場而爲褒貶黜陟。宋朝屢遭外族壓迫，胡氏假託尊內卑外，即尊王攘夷的思想，牽强曲解而附會於《春秋》上，因此，經書的原義不得彰顯。

張以寧反駁《春秋胡傳》

胡氏的主張雖然流行於明代，反駁胡氏的書也跟著出現。

極力反駁《春秋胡傳》的是張以寧的《春王正月考》。有關《春秋》卷首的「元年春王正月」一詞，古來並無議論，至唐代的劉知幾首先抱持疑義。（據《四庫全書提要》之說，著者並未詳考）宋程伊川的《春秋傳》則指出「周正月非春也，假天時以立義爾。」（《二程全書》卷四十九）胡氏即本著程伊川之說，指出：「建子非春亦明矣，乃以夏時冠周月何哉！聖人語顏回以爲邦，則曰：行夏之時；作《春秋》以經世，則曰春王正月，此見諸行事之驗也。」即胡氏以爲「春」的文字，是孔子特別削刪改正的。

中國曆法的三正說

就中國的曆法而言，古來即有三正說，是指北斗星出現的方位，依照其時期而制定一年開始的時間。夏朝以出現寅的方位的時期爲正月，殷以丑，周以子爲正月。圖示於左。

夏	殷	周
正寅	2	3
2卯	3	4

3	辰	4	5
4	巳	5	6
5	午	6	7
6	未	7	8
7	申	8	9
8	酉	9	10
9	戌	10	11
10	亥	11	12
11	子	12	正
12	丑	正	2

故《孟子》的「七八月之間苗枯」，朱注爲「周七八月夏五六月」。「七八月之間雨集」的朱注亦同於前。至於「歲十一月徒杠成，十二月輿梁成」的朱注則是「周十一月夏九月、周十二月夏十月」。因此，周的正月即夏的十一月，是冬天而非春天。《論語》記載著孔子「行夏時」，即孔子用夏正，「春」字是特意記載的，亦即「以夏

時冠周月」。但是張以寧以爲《胡傳》的這種說法是錯誤的，周代既然是正月建子，即以夏曆十一月爲歲首而稱春，非孔子特意補充說明的。有關三正論的天文學說，詳見新城（新藏）博士的《東洋天文學史研究》及飯島（忠夫）博士的《支那古代史論》。

高拱反駁《春秋胡傳》

高拱的《春秋正旨》（收於《守山閣叢書》）也是批評《胡傳》的著作。《孟子》說：「孔子懼，作《春秋》。《春秋》，天子之事也，是故孔子曰：知我者其惟《春秋》乎，罪我者其惟《春秋》乎」。公羊學派亦根據此一解釋，以爲孔子乃以帝王自任，胡安國也持此說法。以爲孔子抱持著天子實權的居心，但高氏以爲《胡傳》誣妄孔子太甚。高說也被焦循《孟子正義》所引用。高拱又著有《問辨錄》（未見）批評朱子集注。其文集爲《高文襄集》（未見）。

郝敬的《九經解》

享有盛名而了無價值的是郝敬（號京山）的《九經解》。書雜然龐大而多屬武斷，詳見《四庫全書提要》的批評。詩文集爲《山草堂全集》，是稀覯書之一。其中有《時習新知》，非屬經學方面的論說，而是精神修養，即有關理學的著述，將孟子的養氣與神仙家的養氣相提並論。又根據傳記的記載，預言自己臨終的事。就儒者而言，不免有怪誕的嫌疑。

敍述有明一代的經學而不可不論的是孫瑴的《古微書》。此書是有關讖緯的著作。

孫瑴的緯書研究

古有七緯，後世逐漸亡佚而成斷簡殘編。讖緯是漢儒的學術，與經學的關係甚為深遠，是研究漢代經學所不可或缺的資料。漢代《易》學的面貌即根據緯書而得以明晰。孫氏即蒐集殘存的篇卷而成《古微書》。後世雖有善本讖緯輯佚書問世，孫氏則為其先聲。

明代學術缺乏眞摯的風氣

明代學風有博洽浮誇之風而缺少眞摯。胡應麟、楊慎、陳耀文等人學稱博覽，卻不免有道聽塗說之譏。焦竑的《國史經籍志》亦有耳食之譏，又有著作僞書以欺瞞世人的，如豐坊的《子貢詩傳》、《申培詩說》。（收於《漢魏叢書》）至於李王的古文辭學則屬於裝神弄鬼以驚嚇世人之類的異端。

明代經學雖乏善可陳，但是在理學方面，則有出類拔萃的理學家出現。茲略述明代理學於後。

第四章　明代理學心學概說

朱子學派的理學

羅欽順、吳廷翰對理氣說的非難

論述明代理學可參考黃宗羲的《明儒學案》。唯此書有兩個缺點。一是黃宗羲是陽明學者，其論述不免有所偏頗。二是沒有列舉學者的著作書名。就黃氏而言，其著述體例是想當然的事；但就今日的觀點來說，確實有上述的不便。

明代朱子學者有：

薛敬軒《讀書錄》《薛文清集》

吳康齋《文集》

胡敬齋《居業錄》《胡文敬公集》

朱子學的缺點在於理氣關係不明之處，這是一大破綻，因此明代朱子學者也多人對此而有所非難與質疑。

羅欽順著《困知記》對朱子學提出質疑。日本江戶時代的儒者貝原益軒根據此書而作《大疑錄》。又《困知記》的佛教批判也是儒者佛教論的代表作之一。文集有《整庵存稿》。

反對理氣說的學者有吳廷翰。吳氏著有《蘇原全集》。其中的《吉齋漫錄》、《甕記》、《櫝記》等有和刻本，一時知聞於日本學界。但是中國學者卻不太關心其生平與著述。

日本江戶時代的儒者伊藤仁齋有「天地間一元氣說」與《吉齋漫錄》的「理氣一元論」相同。有人認爲是仁齋抄襲吳廷翰之說。其實這是偶然的一致。至於益軒《大疑錄》與羅整庵《困知記》的關係，益軒既已明言，大抵無可疑。

陳白沙的理學

到明代中葉爲止，大抵是朱子學盛行。中葉以後，逐漸有反對朱子學的理學產生。開其端緒的是陳白沙。陳白沙著有《白沙全集》。

朱子學的缺點在於過度尊崇「居敬窮理」，以致產生困苦束縛的弊害。因此有朱子學反動的趨勢。陳白沙雖是儒者，卻有禪宗的傾向。提倡由《中庸》的「喜怒哀樂之未發謂之中」而靜坐，只要靜坐即可見心的本體。

王陽明的學風

繼陳白沙之後的是王陽明。綜輯詩文年譜而成的是《陽明全書》。其中的《傳習錄》可以說是陽明學派的「聖經」。陽明學對於經書研究而最有代表成就的是《大學》。

《大學》原本是《禮記》的第四十二篇，朱子推崇《大學》的學說，又提出《中庸》而與《論語》、《孟子》並稱。不僅如此，朱子又以爲《大學》有錯簡而改訂原文，並補入「格物致知」傳文。朱子學大行於世，世人只知道有朱子的《大學》而不知道《禮記》中的《大學》。《中庸》亦然。

王陽明主張「實踐倫理哲學」；反對朱子的改訂，以爲朱子的改定《大學》是「改惡」。主張古本《大學》才是眞正的《大學》。此即是所謂的《古本大學》。

其實《大學》不僅僅只有朱子的《大學》和《古本大學》而已。根據毛奇齡的《大學證文》，在朱子以前。已經有程子的改訂本等等種類繁多的《大學》。

朱王《大學》觀點的差異

朱子與陽明到底有何相異之處。朱子重「格物致知」，這是「智」的解釋。

陽明以「誠意」爲第一義。「格物致知」的義蘊也不像朱子所說的一般。「物」不是物事之理；而是我心發動的動機慮念。「知」也不是知識；而是「良知」。所謂「致知在格物」是說良知的極致在於我心念慮的正，亦即非意誠不可。因此，把「格物」與「誠意」作相同的解釋。二人有關《大學》理解的差異，至今依然爭訟不休。

格物的意義

有關「格物」的解釋，根據全祖望《經史問答》卷七的記載，一共有七十二種之多。因此，要正確地理解「格物」的意義，非分析「格物」的用例不可。

清胡渭的《大學翼眞》卷四列舉五個例證說明「格物」的用法。《三國志》（〈魏志〉卷十一〈管寧傳〉注，同書卷二十五〈和洽傳〉）、《晋書》（卷七十七〈陸玩傳〉，同書卷百十九〈姚興載記〉）、《舊唐書》（卷六十六〈房喬傳〉）等書所見的「格物」，若不訓解爲「量」，文意就不通了。

除了胡渭列舉的以外，我也作了考察，慧皎的《高僧傳》（卷一〈帛尸黎蜜傳〉）、曾南豐的《元豐類稿》（卷十五〈上杜相公書〉）的用法相同。《二程全書》卷二十九，劉立之所撰〈明道行狀〉中，「立之嘗問御史，曰：正己以格物」（明道在《大學》中訓「格」爲至，此處不然）的「格」也是「量」的意思。大抵皆本《蒼頡篇》「格，量度也」的意思（《蒼頡篇》在《玉函山房輯佚書》小學類）。又訓「格」爲「防」的是始於司馬光。（見於《司馬文正公集》卷七十七，〈致知在格物論〉）至於朱子的「格，至也」、陽明的「格，正也」皆出於古訓。陽明的解釋，宋的沈清臣及吳汝愚已經提出了。（見於衞湜的《禮記集說》卷百五十）有關「格」的字義，參拙著〈遼豕錄〉（大正十三年的《斯文會雜誌》）一文。大抵「格」的字義，有朱子和王陽明的二說。鄭玄的注則沒有明確的解釋。大田錦城以爲：鄭玄之說傾向於迷信。（見《大學原解》）

陽明提倡致良知、知行合一，針對程朱的道學而提出心學的主張。陽明乃繼承陸象山的學說，發揮陸象山「六經皆我注腳」的思想。

王龍溪、王心齋的心學

宋學是道學，而陽明學則是心學。陽明學派帶有濃厚的佛教色彩。開其端緒的是陽明門人的王龍溪、王心齋。二人皆各有全集和文集。

陳建、馮柯攻擊陽明學

陽明學勃興而非議朱子學，相對於此一批評，朱子學者也有非難陽明學的。有名的是陳建的《學部通辨》和馮柯的《求是編》，二書罵倒陽明學。雖然如此，大抵抱持著門戶之見，不免陷於黨同伐異，有失持平。清方東樹的《漢學商兌》即以宋學的立場批評漢學，到底是有失公允。

三教合一論

陸王之學與朱子學雖相爭如水火，但是王學到了王龍溪、王心齋的時候已經有禪宗化的傾向，到了明末遂形成三教合一的思潮。不但當時的儒者無一人不是如此，佛僧也引儒入佛，如憨山大師（德清）、雲棲大師（袾宏）即是。關於明末三教合一的問題，參見收錄於《高瀨武次郎還曆記念論文集》的拙著〈明末的三教關係〉。至於明末耶蘇教傳入中國，儒、佛、耶三教的關係，由於篇幅所限，擱置不談。

東林學派

在心學盛行，儒佛融合的明末，有東林一派興起，反對心學，顧憲成、高攀龍是其代表學者。顧氏有《涇皋藏稿》、《顧涇陽遺著》等，高氏有《高氏遺書》。明代與宋代相類似，門閥派別的精神極為熾盛。學術界的結社組黨而相互攻伐的風氣也一時流行。（見《明史・文苑傳》、朱彝尊《靜志居詩話》）東林學派即是當時學術與政黨的派別之一，學問則標榜程朱之學，政治上則以匡正朝廷的紊亂爲職志。

明末劉宗周（念臺）排斥極端的心學，東林學風又有禪宗的傾向，乃別立門派，提倡愼獨，以爲聖人學問的宗旨在此。綜觀東林學派與劉宗周的主張，到底還是歸屬於心學一派。劉氏著有《劉子全書》。其中《人譜》有如道敎的《功過格》的主旨，流傳很廣。門人有黃宗羲。黃宗羲與顧炎武並稱爲清初大儒，開啓清代新學風。顧炎武以經學研究爲主；黃宗羲則以史學爲學問的宗尚。黃宗羲（梨洲）著有《南雷文定》、《明夷待訪錄》等書，與其他篇幅較小的著述合刊爲《梨洲遺著彙刊》，十多年前於上海出版。

以上是元明經學的大略。

劉宗周排斥心學

第四篇

清代的經學史

中山久四郎述
連清吉譯

第一章　經學的變遷

清朝約三百年的經學史並非孤立的存在，而是與以前的歷史有密切的關係。本文擬先略述清代經學在中國數千年經學的研究到底有何地位，然後再進入本文的探討。關於清代經學的特徵及其歷史地位的論述極多，茲略舉其中的一二敘述之。

《四庫全書總目提要》的經部總序有以「經學古今六大變」爲題，論述經學始於先秦時代，秦以後的二千多年間，各時代經學的特色，爲：

一、漢　其學篤實謹嚴，及其弊也拘。

二、魏晉—隋唐　王弼、王肅稍持異說……各自論說，不相統攝，及其弊也雜。

三、宋　道學大昌，擺落漢唐，獨研義理，凡經師舊說，俱排斥以爲不足信，其學務別是非，及其弊也悍。

四、宋末—明　（重朱子）、驅除異己，務定一尊，自宋末以逮明初，其學見異不遷，及其弊也黨。

五、明正德以後　主持太過，勢有所偏，材辨聰明，激而橫決。自明正德嘉靖以後，其學各抒心得，及其弊也肆，空談臆斷，考證必疏。

六、明末清初以後　其學徵實不誣，其弊也瑣。

詳細的論述請參照本文。又民國周雲靑箋注《四庫全書總目提要敘》頗爲便利，值得參考。

經學十變說

異於「經學六變說」的則有皮錫瑞《經學歷史》所論述的「經學十變說」。

一、經學開闢時代。（春秋）

二、經學流傳時代。（戰國）

三、經學昌明時代。（前漢武帝）

四、經學極盛時代。（前漢元成二帝—後漢）

五、經學中衰時代。（後漢桓靈二帝—魏晉）

六、經學分立時代。（南北朝）

七、經學統一時代。（唐）

八、經學變古時代。（宋）

九、經學積衰時代。（元明）

十、經學復盛時代。（清）

經學三變說

皮氏的「十變說」比《四庫全書總目提要》更詳細，也清楚地說明清朝三百年經學的研究與前代發展的關係。相對中國學者於經學演變的看法，日本江戶儒者大田錦城於所作《九經談》中也有中國「經學三變說」的論述。

一、漢學　長于訓詁。

二、宋學　長于義理。

三、清學　長于考證。

日本經學的變遷

雖然簡短，大抵能得其大要。根據大田錦城將中國經學歷史分為三個時期的主張來探討日本經學的研究情形，則日本經學也經過三次變革。

一、王朝—鎌倉以前　重訓詁。

二、南北朝—德川　主朱子學、長于義理。

三、錦城時代以後　尊考證。

就時代而言，中國的經學三變與日本經學三變大抵可以並行。

第二章　清朝經學概觀

一、學術的變遷

清朝三百年的學術到底有何變化。根據王國維的〈沈乙庵先生七十壽序〉（見於《觀堂集林》或《王觀堂文選》）可歸納成：

王國維的清朝學術變遷論

大	順治康熙之世 即國初
精	雍正乾隆之世 即中世 就中乾隆嘉慶
新	道光咸豐以後
變	近世

茲按照此一順序，敘述各時期的學術梗概。

二、初期的經學概說

先敘述順治、康熙時代的學者。

顧炎武

顧炎武生於明末萬曆四十一年，卒於康熙二十年，年六十九。生平傳記詳載於《清史列傳》（原名《國朝耆獻類徵》）的〈儒林傳〉、《國朝先正事略》卷二十七、《國朝漢學師承記》等。顧炎武生於明末，為杜絕空談臆測的弊端而提倡徵實考證的學風。明末學者中以仕清為恥，且不食清粟，以處士終其一生者極多，如歸化日本的朱舜水即是其中的一人。顧炎武更是積極鼓吹恢復明朝，忠明守節而終其身。除了經學以外，顧炎武也留意於地理的研究。用以考察天下形勢，一朝學事即能實際應用。

顧炎武的學風雖力排明末空談臆測的流弊以著實的考證為宗尚；但是顧炎武並不偏頗於清朝所謂的漢學，而是漢宋兼備，有戒慎務實的程朱學者之風。如《亭林文集》卷三〈與友人論學書〉，顧炎武自稱終身以「博學於文，行己有恥，好古敏求」為誡。至於研究的態度則是以謹嚴的考證為極致。如所著《日知錄》三十二卷是顧炎武積三十年的歲月而完成的筆記體的著作。其在《亭林文集》說，「平生志業皆在其中」。由此可知，此書是其累積平生歲月的精心之作，乃吾人必讀而有益的著作，其中有關經學的名論卓說中，卷十八「心學」一文指出堯舜所謂的「傳心」是不可信的，因爲堯舜禹相承的不是「傳心」而是「傳敎」。宋黃震著《黃氏日抄》已提出此說，但爲朱子學派的學者所忌。顧炎武比黃氏更徹底地批判朱子學派所重視的「傳心」，可以說是經學史上的一件大事。又卷十八，有詳論《朱子晚年定論》與事實不相符合一文。道德修養是尊重程朱的宋學傾向；然而研究則必須不盲從，以發揮公正中立，不偏不黨的精神。

清朝的漢學與宋學之門戶論爭頗多。唐鑑《國朝學案小識》中，傳朱子學而列入「傳道者」有四人；並非純粹的朱子學者卻有功於朱子學的稱之爲「翼道」。顧炎武即列爲「翼道」之首。唐鑑又贊賞顧炎武批評晚年定論說，不過也以爲顧炎武之所以有批評乃是拘於門派的偏見。與唐鑑同爲宋學家方東樹，則在所著《漢學商兌》中，對顧炎武非難朱子學者奉爲金科玉律之堯舜禹的「傳心」，而有嚴厲的反駁。唐、方二人同爲宋學者而所見之有如此的差異，乃因爲二人只看到顧炎武學問的一端，而沒有其全貌的緣故。至江藩的《漢學師承記》則是列舉有功於漢學的學者，而將顧炎武和黃宗羲列入文末的附錄。江藩在跋文指出：顧黃二人不自稱漢學者而研究的卻是漢學。不過黃宗羲傾向王學，顧炎武偏袒朱子學，二人的學風曖昧不明，故列入附錄，不僅如此，江藩又爲了阿諛清廷，以爲黃、顧二人雖有揭擧義兵與否的不同，但是皆志在復明，而大肆詆詈。其實顧炎武與黃宗羲都是漢學的名儒，就道德修養上，雖然是尊崇朱子；但是研究上，則以漢學的學風爲依歸。

一般以爲宋學只是性命理氣之學而已。其實宋代學風已有如清朝考證學之風的流行。清朝考證學的特徵之一是不僅是正面的尚古、好古、信古，而且還有反面的疑古。疑古的學風在宋代已經有了。如歐陽修之懷疑《易・十翼》。司馬光著有《疑孟》。朱子對《僞古文尚書》、《毛詩小序》存疑，以《楞嚴經》是中國人的僞作。王柏著《書疑》、葉大慶作《考古質疑》都足以說明宋代疑古風氣的盛行。換句話說宋人已爲清朝學者播下考證學的種子。因此斷定一代的學風時，非審愼不可。其實，追溯疑古的話，唐劉知幾的《史通》也有〈疑古〉一文，因此，疑古之風並非清人破天荒的創擧，只是唐宋學者仍然抱持著尙待研究的態度，到了清代則一變爲疑古的態度。

中國歷來有「孔子教」的說法，但是到底是不是宗教，則値得懷疑。《論語》雖然有占卜之事，但是孔子本身卻沒有抱持著宗教的態度。如果是宗教，則教祖的話必然是被人確信不疑的，但是對於孔子的儒教卻還不至於由信仰而演變成迷信的地步。清代的學風尚疑；但是存疑之風並非始於清朝。其他的研究，如金石學、年譜學、古泉學等，至清朝而有精深的研究；實則宋人在上述各項的研究上已開啓了端緒。所謂「宋學」，只是濂洛關閩之學而已的說法是不正確的。因此，清朝的學風並非興起於清朝，而是宋代學風的承繼。

黃宗羲、王船山、朱舜水等明末學者都有反明學的傾向，但是對新學風未必有建設性，即使有某些建設性，對社會並未有任何大的影響。但是顧炎武卻不同。顧炎武力排純主觀的王學，雖未足以形成著實健實的學風，卻開拓了客觀性研究的學風。因此，可以說明代的學風有了極大的變化。不但通貫經史，地理亦察明，同時音韻學也有新的拓展。《亭林文集》卷四〈答李子德書〉說：

> 故愚以爲讀九經，自考文始，考文自知音始。以至諸子百家之書，亦莫不然。

顧炎武於音韻的研究，有《音學五書》。其中，在《詩本音》中，有關「服」字的考證，就列擧了本證十七條，旁證十五條。又《唐韻正》有關「服」字的考證，更列擧了一百六十二條的證據。《文集・與揚雪臣書》指出：

若《音學五書》，爲一生之獨得，亦足以羽翼六經，非如拾瀋之語。

再者研究必須認識時代的潮流與需求。《文集・與人書四》的敍述，可以清楚看出其主張。

經學自有傳流。自漢而六朝而唐而宋，必一一考究，而後及於近儒之所著。然後可以知其異同離合之指。如論字者，必本於《說文》。未有據隸楷而論古文者也。

顧炎武的學風在改易明末空疏臆斷的弊端。在《亭林文集》的〈與友人論門人書〉指出：

……語之以五經，則不願學，語之以白沙、陽明之語，則欣然矣。

宋明學者空論孔夫子所罕言的性命，而且缺乏實際的修養，於研究也了無裨益。這是《亭林文集》中隨處可見的議論。又有民國唐敬杲選注《顧炎武文》、淸徐嘉輯《顧詩箋注》，《箋注》的卷十四有〈述古詩〉，顧炎武對鄭玄贊揚說：

大哉鄭康成，探賾靡不舉。六藝既該通，百家亦兼取。至今三禮存，其學非小補。

又卷十七〈哭張爾岐〉詩：

從此山東問三禮，康成家法竟誰傳。

皆足以說明顧炎武力排明末空疏臆斷而著重務實的學風。至於顧炎武的古音研究於經學研究到底有何貢獻。唐玄宗讀《書經．洪範》，到了「無偏無頗遵王之義」時，以此句的上文是協韻，而此句的「頗、義」並不同韻，因此敕命改「頗」爲「陂」，如此「陂、義」就協韻了。這似乎是頗有見解的；但是敕命更改經文，未必妥當。顧炎武精於古韻的研究，所以察覺經文錯誤的所在。因爲「義」字「从羊从我」，「陂、我」同韻。從學問上的研究而證明二字協韻。《易・象傳》中「鼎耳革，失其義。覆公餗，信如何也」。《禮記・表記》：「仁者右也，道者左也。仁者人也，道者義也」。《易》中「義」的古音爲「我」，「我」與「何」協韻。《禮記》中「左」與「義」協韻。顧炎武以爲古人爲了便於記憶，所以押韻了。由此可知，由於古韻的研究而可以推察古人的思維。

以上是顧炎武學風的一端。顧炎武又是朱子學者，故篤信道義，對明朝有深厚的忠義之義。可以說是學行兼備的儒者。《日知錄》中把明朝稱爲「本朝」或「吾朝」。時世雖鼎革爲有清，對明朝仍抱持著耿耿的孤忠，著實令人敬服。與顧炎武相同的事例，有《通鑑》的胡三省注。此書雖作於元時，年號、地名依然用宋時舊稱，表示其對宋的忠義。著者的苦心的確使人敬佩。

黃宗羲

與顧炎武的爲人、時代相同的是黃宗羲。黃宗羲是浙江餘姚人，即與王陽明同一故里，因此是陽明學者。雖然如此，黃宗羲卻沒有主觀的偏見。不但博通經學，於道教、佛教都有精深的研究。同時，對明朝的忠義之念也非常篤厚。在與朱舜水關係深遠的監國魯王的麾下謀劃恢復明朝，向日本乞求援兵相助。著有〈日本乞師記〉敘述前後原委。其之所以有深厚的忠義之念，是因爲不但是陽明學者，也是程朱學者。所以才尊尚道德的實踐。換句話說，學行並重是黃宗羲爲人的特色，也是其與顧炎武並稱的所在。黃宗羲也是不仕清而終其一生的。康熙帝網羅天下儒者以爲己用，結果有數人網羅不得，黃宗羲就是其中的一個。

黃宗羲的著述中，最有裨益於後世學者的是史學研究。《明史案》雖然是史料，卻是《明史》之主要根據的所在。因爲其門人萬斯同參與了《明史》的編纂，不但《明史》的內容，其體例頗參採黃宗羲的主張。所以《明史》之能夠幾近完備的編修，有不少得力於黃宗羲的《明史案》。至於《明夷待訪錄》對後世的影響更大。此書是民主主義的政治論，就成書的年代而言，比盧梭的《民約論》早數十年出版，論述的內容大體與《民約論》相同。此書在清初未必有何影響，清末南方人推翻清廷時，其學術理論的根源之一，就是黃宗羲的《明夷待訪錄》，足見此書對近代思想的影響力。經學方面的著述，則有《宋元學案》與《明儒學案》。「學案」即學術史，敍述學者的學說要旨，持平的解說個人與時代的關係。「學案」的著述即始於黃宗羲。前者是其一人完成的；後者則經過後人的增補。

閻若璩

閻若璩，字百詩，山西太原人。清朝學者以出身於江蘇、浙江者居多，北方人較少，閻若璩是其中的一人。

閻若璩與顧炎武同爲開啓清代考證學的先鋒。與《日知錄》並稱的名著是《潛邱箚記》。閻若璩的得意著作是《古文尚書疏證》。《古文尚書》素來即被懷疑，朱子於《語類》中即屢次論述及之。元吳澄的《書纂言》、明梅鷟《尚書考異》都指出《古文尚書》是爲僞作，不過都沒有詳細地論證。特別是朱子自身對《古文尚書》有存疑，但是其弟子蔡沈卻毫無懷疑地傳述《古文尚書》。到了閻若璩，則精詳地研究，證明《孔傳》的缺誤。茲舉一二例證說明之。《孔傳》有引用「金城郡」解釋〈禹貢〉的地名。「金城郡」始置於西漢昭帝，孔安國卻死於昭帝之前的武帝時代。因此可說明《孔傳》是後人僞作。又《論語・堯曰》：「堯曰：咨！爾舜，天之曆數在爾躬。允執其中，四海困窮，天祿永終。」《古文尚書》引此文而增入「人心惟危、道心惟微」八字。所引〈堯曰篇〉的文字都有押韻；但增入的八字卻不押韻，可知此八字是後人增入的。諸如此類的論證有數十條之多。

清朝學者對於古典都有極其詳審的研究，不僅僅是閻若璩一人而已。只是顧炎武與閻若璩開啓先聲而已。再試舉一例。《禮記・檀弓》有「魯季武子寢疾。……及其喪也，曾點倚其門而歌」一文。閻若璩論述說：季武子死於魯昭公七年十一月，當時孔子十七歲。據《論語・先進》有〈子路、曾皙、公西華侍坐章〉，按照順序先後，是子路、曾皙（點）。如果席位次序也是年齡大小的先後的話，根據《史記》的記載，子路小孔子九歲。孔子十七歲時，子路是八歲，那麼曾點既小於子路，則六、七歲的曾點，如何能在一國貴族死亡之時，倚其門而歌呢？諸如此類的研究，是清朝異於前代研究的所在。另外，《四書釋地》的著述，也可以窺知閻若璩的學問態度。《四書釋地》之後，不但有《續》、《又續》、《三續》的著述，甚至於由地理而延伸至制度風俗的研究。顧炎武的地理研究，或志在恢復明朝；閻若璩則以純學術的觀點，由地理研究而進入經典的探究。

毛奇齡

足以與閻若璩並稱的是毛奇齡。毛奇齡，字大可，號西河。著有《西河合集》。毛奇齡的學問旨趣與顧、黃相異，肆意於程朱的攻擊。毛奇齡恃才驕氣，當時有名的學者幾乎無一人能倖免於毛氏的批評。毛氏有《古文尚書冤詞》一書，以爲《古文尚書》不是僞古文而是眞古文，反對閻若璩的論述。「冤詞」一詞不過是喧嘩擾攘，表現出其作異好奇的格調而已。不足爲「《孔傳》非僞作，《古文尚書》爲眞古文」辯護。如果閻若璩沒有《古文尚書疏證》的撰述，或許毛奇齡會有《古文尚書》爲僞作的論述。

經書的今、古文之爭是清朝經學史的一大問題。閻若璩的弟子宋鑒發揚師說而作

孫奇逢、湯斌、陸隴其

李光地

惠周惕、惠士奇

《尚書考辨》、惠棟作《古文尚書考》、江聲作《尚書集注音疏》、孫星衍的《尚書今古文注疏》、王鳴盛的《尚書後案》，皆贊同閻若璩的論述。至於左袒毛奇齡的，則有朱鶴齡的《尚書埤傳》，堅信《古文尚書》，對《孔傳》毫無懷疑。

清初學者而尚值得一提的都是宋學者，如孫奇逢、湯斌、陸隴其。此三人皆從祀文廟，雖爲國家重臣，學問研究並不深入，著書也不多。《國朝先正事略》有「名臣」與「名儒」二類。以上三人歸屬「名臣」之類。地位稍劣於三人的有李光地。李氏的學問性格並不明朗，論說尊奉朱子；訓詁則標榜古說，即折衷漢宋學說學者。由於官任樞要，天下學人從之若鶩，門人衆多。此所謂的「門人」是指科舉制度下的師弟關係。科舉及第的話，則主考官即爲中第者之師。李光地任典試總裁，因此門人衆多。門人中，惠士奇、何焯的名聲甚高，特別是惠士奇三代皆享有盛名，世稱惠氏三世。

三、中世的經學概說

惠氏的第一代是惠周惕。所著《易傳師說》收入《四庫全書》。雖然如此，以身爲惠士奇的父親而知聞於世。惠士奇專治經學，博通《史記》、《漢書》。惠士奇，號半農，著書皆以號爲書名，有《半農易說》、《半農禮說》、《半農春秋說》。惠周惕尊奉朱子學而旁及古注。惠士奇雖不排擊朱子學，經說則取古注。其子惠棟，是惠氏三世中最有名的，是純粹的漢學者。

惠棟

惠棟字定宇，清代經學中吳派的開山始祖。著有《周易述》、《易漢學》、《古文尚書考》等，皆收入《皇清經解》。《漢學師承記》稱「惠氏三世、有此人也」，對《周易述》則贊賞說：「漢學之絕者，千有五百餘年、至是而粲然復章矣。」由此敍述，大抵可以窺知惠棟的學風。又《宋學淵源記》卷上則稱：

> 近今漢學昌明，遍於寰宇，有一知半解者，無不痛詆宋學。然本朝爲漢學者，始於元和惠氏，紅豆山房半農人手書楹帖云：六經尊服鄭，百行法程朱。不以爲非，且以爲法，爲漢學者，背其師承何哉？

焦循

惠棟以門下衆多而知聞。焦循的名聲雖不及惠棟；但是極勤於著述。甚至有人認爲焦循的學術成就超過惠棟。安井息軒先生就是其中的一人。焦循著述中，頗有特色的有《毛詩地理釋》。閻若璩著有《四書釋地》，以地理研究應用於經書的探究；焦循的《毛詩地理釋》的精詳遠超越《四書釋地》。另外，《詩經》的地理研究著述，已有王應麟

江永

惠棟的門人

的《詩地理釋》。焦循糾正王氏書的錯誤之處極多。焦循又有《羣經宮室圖》一書。焦循以後，研究經書的地理與宮室的學者甚多，焦循可說是開拓此一學術領域的先聲。

江永與朱子同一故里，尊奉朱子，詳於禮學，著有《禮經綱目》。又作有《古韻標準》。古韻的研究始於顧炎武而大成於江永。另外，《律呂闡微》也頗有特色，是有關音律數學的著述。明末天主教傳入中國，傳教士也將西洋學術傳入中國。天文學的盛行，並應用於古典的研究，即與此一背景有極大的關連。惠棟門下中有六人極爲特出。除了

余蕭客——詳於小學，著有《古經解鉤沈》

江聲——著有《尚書集注音疏》、《六書說》。

錢大昕
王鳴盛
戴　震——這三人將另外敘述。

王昶——著有《金石萃編》。

王鳴盛、錢大昕、王昶、紀昀、朱筠等都是乾隆十年的同科進士。

王鳴盛

王鳴盛忠實於惠棟的學風，專致於經書的研究。著有《尚書後案》三十卷。所謂「後案」是最後最善的論斷，頗有自鳴得意的自負。結果後案非後案，其後孫星衍著有《尚書今古文注疏》。王、孫二人皆尊崇古注。王鳴盛又著有《十七史商榷》，詳於史書的校勘。

錢大昕

錢大昕的學風較惠棟爲廣博，除了經書以外，對於史學也極有研究，是惠棟門下最有異彩的學者。著有《潛研堂全書》及《潛研堂文集》，可以窺知其學術風尚。另外還有研究史學的《二十二史考異》，研究金石的《潛研堂金石文跋尾》。至於考證式的隨筆集，則有與《日知錄》並稱的《十駕齋養新錄》。錢大昕以爲《元史》是明初僅用一年多即完成的史書，缺誤極多，是二十四史中最有缺漏的，乃重修《元史》。雖僅完成〈補元史氏族表〉、〈藝文志〉，錢大昕仍然享有補修《元史》的盛名。民國柯劭忞繼錢大昕未完成的事業，完成《新元史》。民國七年，當時的大總統徐世昌命令《新元史》列入正史。《唐書》與《五代史》有新舊二書；《元史》也有新舊。因此，原本的二十四史，在民國七年時，就改稱爲二十五史。錢大昕一門同族，有八人相應活躍當時學術界，咸稱當時的好事。

紀昀

《四庫全書》

《四庫全書總目提要》

紀昀，字曉嵐，獻縣人。獻縣爲西漢河間獻王的統轄地，清朝頗多仰慕河間獻王學風。紀昀生於獻縣，尤重其學風。紀昀一生的學術功績在於《四庫全書總目提要》的編修。清康熙六十一年、雍正十三年、乾隆六十年的百三十四年間，官修或敕撰書目甚多，傾注朝野的力作是《四庫全書總目提要》的撰修。乾隆二十八年設四庫全書館，總、副監修雖爲王族大臣，實際編修總監是紀昀，其修協理是陸錫熊、孫士毅等人。

所謂《四庫全書》是將中國書籍按經、史、子、集四部分類，乾隆時蒐集善本，命人繕寫，於乾隆四十七年完成「七閣」。

內廷四閣
- 文淵閣　北京文華殿
- 文溯閣　奉天
- 文津閣　熱河避暑山莊
- 文源閣　北京圓明園

江浙三閣
- 文匯閣　揚州
- 文宗閣　鎮江
- 文瀾閣　杭州

江蘇、浙江一帶，學者輩出，因此設立三閣。四庫閣員除了善本的蒐集外，又進行四庫善本的解說與批評，即對《全書》中的三千五百部善本進行解題。一部解題一、二個月完成，則三千五百部就需要耗費十多年才能完成。不僅如此，完全避免門戶之爭，以公平無私的學術態度爲主眼。乾隆時代以漢學爲主，雖不免有漢學之尊的偏執；但是對馬融、鄭玄等漢學的是是非非也能公平的解說。清代學術史的著作《漢學商兌》，引《四庫全書》非難漢學的所在，批評漢學。如此一來，豈非也在批評程朱之學。目錄學不僅是研究經學的工具。就規模氣象而言，自然較經學、史學爲小，卻是學者所必須留意的學問，不過也由於瑣碎，頗多徒勞之作。如古目錄書的《漢書藝文志》、《隋書經籍志》、宋鄭樵《通志・藝文略》、晁公武《郡齋讀書志》、陳振孫《直齋書錄解題》、尤袤《遂初堂書目》、明楊士奇《文淵閣書目》、焦竑《國史經籍志》、清錢曾《讀書敏求記》、朱彝尊《經義考》等，都未免有所偏執，不足以稱爲完備的漢籍目錄學書目，紀曉嵐的《四庫全書總目提要》就盡善盡美了。日本德川時代的學者也獲益良多。賴山陽《書後》卷下〈讀四庫全書〉說：

綜核經史，楊榷藝文，無閑冗語，首尾爛然，足光前垂後。舉覺羅一代文，論其可傳者，恐無出此右者。

盛贊《四庫全書總目提要》的學術成就。關於朱彝尊的《經義考》，同書卷中〈跋二十二史箚記後〉，提到：

其實益者，顧寧人《日知錄》、朱竹垞《經義考》，及趙雲崧《二十二史箚記》而已。

《四庫全書總目提要》雖完備，但未必沒有缺失。唐韓愈〈論佛骨表〉是以儒家忠臣而排斥佛家，固然是無可厚非，但說「佛者夷狄之一法耳」，則近似大言壯語的書生之論。清儒也有此種弊端。如對《西遊記》、《佛國記》、《諸蕃志》等佛書、海外地志的研究，就有很多的粗漏。又乾隆好學，只要是帝王學就是好的，結果對學者的研究有了阻礙，如乾隆的河源論是根據《史記》舊說，不免有陳腐的流弊，但是《四庫全書總目提要》卻不能公允持平的議論。至於清朝發源地的吉林，與朝鮮雞林的發音相近的論說，也不免附會大過。雖然如此，《四庫全書總目提要》畢竟還是瑕不掩瑜。又擔任總編修的紀昀及陸錫熊、孫士毅之下，一時俊秀皆網羅致之。任大椿、王念孫、戴震、邵晉涵、朱筠、姚鼐等皆以其所長，各有分配擔當，協力完成。特別是天文曆算由戴震主事更是甚得其人。再者，參與學者固然衆多，而文體一致，更是難得，到了近世，《四庫全書》蒙受劫難。北京圓明園的文源閣，於咸豐十年英法聯軍而付諸一炬。南方江浙三閣也由於洪楊之亂而蒙受損害，內廷三閣能完整的保存則是不幸中的大幸。民國九年有影印《四庫全書》的計畫，十月大總統徐世昌命朱啓鈐任監印《四庫全書》總裁，以財源不足而中止。其後北京大學教授陳垣做實地調查，內廷三閣中，以熱河的文津閣保存良好，書籍也較完備。民國十四年上海商務印書館有覆印的計畫，但是三萬六千餘册的鉅製，付印不易而作罷。

戴震

戴震，字愼修，一字東原。如果字有二個，清人就有將其中一個字作爲號的習慣。戴震即以東原爲號，其師承淵源如左：

惠棟 → 戴震
江永 → 戴震
何焯—沈彤→戴震

戴震是惠棟門下中最年長的。最初先從江永、沈彤爲學，於獨學後再入惠棟門下。戴震雖師事惠棟，惠棟卻以忘年之友待之。戴震是乾隆時代的代表學者，而且是當時以精密考證爲尚的漢學家的代表。由其傳記所載，戴震的學術生平頗令人敬佩。十歲學

《大學》，到「右經一章」時，戴震問師：

曰：此何以知爲孔子之言，而曾子述之。又何以知爲曾子之意，而門人記之。

師答曰：此先儒朱子所注云爾。

又問：朱子何時人。

曰：南宋。

又問：孔子、曾子何時人。

曰：東周。

又問：周去宋幾時。

曰：幾二千年。

又問：然則朱子何以知其然。

師不能答。

此事記於王昶的〈戴東原墓誌銘〉。天負英才，於十歲時，即有追根究底的學問意識。又十五歲時，學《說文》乙事。

每字必求其義。

十七歲時，作一文，其大要爲：

經之至者道也，所以明道者其辭也。所以成辭者字也。必由字以通其道，乃能得之。是則先王之學，以小學爲入門。故所著之書，亦以小學爲最先。

即主張「道←古書←辭←文字」。說明文字學、《說文》爲治經必要的工具。惠棟的學問本有此一傾向，戴東原更力倡此說。惠、戴之時，已有由文字而辭，由辭而古書、由古書而道，即爲了要明道的文字研究。只是當時的學者僅停滯於文字，未有進一步往義理的研究。文字學是專門性的研究，或由所謂鐘鼎等古銅器金石文入手，或由明治三十四、五年所發現的龜甲獸骨文入手，都是成一家之言的專門之學。但僅止於文字的研究，而輕忽惠、戴二子所謂的文字研究之根本所在的「道」，則是文字學者的弊端。如戴東原所說的：轎夫抬轎，重要的是轎中的人，但是人只看轎夫而不看轎中人一樣，金石甲骨之學固然重要；但是不要拘束於文字學的煩瑣。戴東原也不偏執於細微的研究，《原善》一如韓愈的〈原人〉、〈原道〉，發揮聖人之道的主旨。《孟子字義疏證》是經學研究的專著。不但不盲從程、朱學；而極力批評程朱學出自釋老一事。此事不但見於《孟子字義疏證》一書，也見於《文集．答彭進允升書》，此書信中，更明白地指出宋儒之學出自釋老的問題。再者，《大學中庸補注》皆「存鄭注而補之」。在戴東原的著作中，除了純經學的研究外，也有清儒特殊的「轉語」研究。即以字母學爲基礎，留意其他制度、典禮、天文、算法，不僅研究觀天古器的文字，更傾心於實物的模型。至今仍流傳於曲阜孔廟。再者，以西洋學問爲主的數學研究，以地理學爲著眼而注《水經注》四十卷，是《水經注》注釋中的翹楚之作。清朝以來，顧炎武、胡渭、閻若璩、錢大昕等人的地理研究，是以郡國都邑爲主而探究自然山川；戴東原則以山川爲主而及於郡國都邑。前者是人文地理；後者則是自然地理。至於《方言疏證》、《爾雅文字考》的著作，也可以看出戴東原於方言研究的新見解。Lacouperie 研究方言，以爲方言起源於巴比倫、敍利亞之前的 Chaldea，而且有混合的現象。戴東原於方言的見解，則得自於《中庸》的研究。

乾隆以後經儒與文士不和

由於戴東原的學風的影響，乾隆以後便產生經儒與文士不和的現象。桐城派大家姚鼐以宋學、文學而聞名，與戴東原雖有交遊，學說不同而絕裂，乃以宋學批評漢學，桐城派文士相繼附和雷同，因此產生漢宋之爭，經儒與文士不和。詳見方東樹的《漢學商兌》。姚鼐等人批評漢學是樸學殘碎，的確是不無道理。戴震生於雍正元年，卒於乾隆四十二年，年僅五十五，爲乾隆時代精密之學風的代表。

戴震不僅是清代考證學的代表，門下也名家輩出。如王念孫、段玉裁等人即是。王氏與惠氏三世並稱，王安國—王念孫—王引之，祖孫三代皆爲學者。戴震曾經寄寓王安國家，因此，王念孫不但受家學，也從學於戴震。著有《廣雅疏證》。惠棟鼓吹文字學而無專著，至戴東原而文字學門徑大啓，門下王念孫、段玉裁遂爲文字學的專家。

段玉裁著有《說文解字注》，爲《說文》注本中最完善者。《說文》之學稍盛於唐代，有《干祿字書》的著作行於世，宋明不興，至清，戴東原力說《說文》的重要性，段玉裁承繼師說，完成《說文》的注釋。與段玉裁同時的鈕樹玉的《說文解字校錄》也是佳作。

孔廣森是段玉裁的弟子，曲阜人，爲孔子遠孫。宋以來的孔子子孫皆爲朱子學者，清代以後，學風改變，以漢學者名家的出現了，孔廣森即是。著有《大戴禮補注》、《春秋公羊通義》。孔廣森既是段玉裁的弟子也是戴東原的門下。戴東原一門的師承如左圖。

王念孫

段玉裁

孔廣森

任大椿

畢沅

阮元

江永—戴震—段玉裁—（女婿）龔麗正—（外孫）龔自珍
　　　　　—孔廣森
　　　　　—王念孫—王引之
　　　　　—任大椿
　　—金榜

以上是乾隆、嘉慶期的學問梗概。以下再敍述道光、咸豐期的學術概觀。

四、近世經學概說

嘉慶時代的經學家而值得稱述的是任大椿。其著述大抵皆收入《皇清經解》中。

畢沅雖是學者，以官而知名，故列入「名臣」中。受惠棟的影響，爲漢學家，故尊奉鄭玄、許慎。著有《史籍考》、《關中勝蹟圖記》、《關中諸州金石志》。又詳於史學，著有《續資治通鑑》，雖以餘力而撰寫的著作，亦頗有可觀。畢沅居位甚高，洪亮吉、孫星衍皆爲其幕僚，但都是專事學問的幕僚，衣食無虞，故能有成就非凡的學術著作傳世。

阮元有與畢沅相似的學風和經歷。著有《經籍纂詁》，便於古籍的研究。又《十三經注疏校勘記》亦然。校勘而及於注疏的文字，是此書足以稱善的所在。此書頗參採日本山井鼎《七經孟子考文》。另外，阮元的《揅經室集》於經學的發揮，頗多精心之處。阮元歷任地方總督、中央要職，又能擢拔學者。受其知遇而傳其學術者，有金鶚、黃式三、黃以周、孫詒讓、俞樾、章炳麟。孫詒讓著有《周禮正義》、章炳麟則有《國故論衡》。

桂馥

桂馥爲《說文》學者，著有《說文解字義證》五十卷。阮元作序說，此書與段氏《說文注》互有優劣。比段注稍微詳細。

崔述

嘉慶以後，於清代經學史上大放異彩的是崔述。日本夙來不知崔述其人，明治三十年左右那珂通世先生由於《國朝先正事略》的記載，留意崔述的研究，編輯《崔東壁遺書》，網羅崔氏的著作。這是日本學者研究崔述的第一人。中國也因此而重新評價崔述的學問。《崔東壁遺書》中，以《上古考信錄》、《洙泗考信錄》爲最佳，考證經書所據周朝爲止的史事，卓見非常多。近時有《洙泗考信錄辨正》問世。有關《孟子》的著述，崔述著有《孟子事實錄》一書，是經書研究所不可或缺的著作。

章學誠

日本雖近時才留意章學誠的學問，但是受到日本的影響，中國最近也開始重視其學問。章氏著有《文史通義》、《校讎通義》。特別是《文史通義》中，「六經皆史」的主張，最爲後人注視。

清朝的今文學派

清朝的今文學派興於嘉慶之前，與戴震同時的莊存與即治今文學的《公羊》學家。其子莊述祖、外甥劉逢祿傳之，特別是劉逢祿作《公羊何氏釋例》，對《公羊》學的貢獻極大。劉氏門人宋翔鳳傳其學。其後魏源、龔自珍、邵懿辰、戴望傳之，其後有王闓運、廖平、皮錫瑞等今文學者出，廖平的弟子是康有爲。

康有爲

康有爲除從學於廖平外，也頗受王闓運、朱次琦的影響，倡《公羊》三世說，注《禮記·禮運》，著《孔子改制考》、《新學僞經考》，皆爲康有爲政治思想的根據所在，也形成清末思想大勢。特別是《孔子改制考》與《新學僞經考》是清末經學的代表作。「新學」是指王莽時代的學問，「僞經」是指西漢末劉歆極力立爲學官的《毛詩》、《左傳》、《逸禮》、《古文尚書》都是劉歆所僞作的。康氏之說的正確與否姑且不論，此書具有二大影響，其一是清朝正統派之漢學者的今、古文說的根本受到動搖。其二是一切的經書都有再吟味、再思考的必要。此不僅是經學，也是中國思想學術界一大警鐘。《史記》、《楚辭》不但也是劉歆僞作的，連出土的鐘鼎彝器也是劉歆私鑄埋藏的，完全不可信。康有爲剛愎自用，主觀性太過，以是忽略客觀性的事實，《新學僞經考》也有此缺失。

崑山派
太原派
德清派
吳派
皖南派

或謂《公羊》學是造成清末革命的原因之一，在此擱置不論。

以上是清初至近世的清代學術的概說，以下再以全體通觀的角度，考察清代學術。

五、諸學派概說

茲嘗試用日本稱伊藤仁齋學派爲堀河學派，中井竹山學派爲懷德堂（大阪）學派的方式，來論述清代經學。

崑山之學，指傳顧炎武之學。

太原之學，指傳閻若璩之學。

德清之學，指傳胡渭之學。

以上是開啓清初學術的學派。乾隆以後，不但有學問傳承的系統，學術也趨向精博。

「吳派」是以惠棟爲中心，江聲、余蕭客、王鳴盛、錢大昕屬之。

「皖南派」以江永爲首，經戴震而傳段玉裁、任大椿、孔廣森、盧文弨。

吳即江蘇省，物產富饒，生活安樂，故學者迭出，學富文彩。此一學風與地方有極大的關連。皖南即安徽，地屬高原，民風勤苦，故學風深邃而人少縕藉。與桐城文士不和，或與情性有很大的關連。學問深邃，故影響也大。段玉裁、王念孫、愈樾、孫詒讓屬皖南學派。段玉裁、愈樾詳於《說文》。戴氏學比惠氏學精詳，而批判性的意味也多。大概受到風土的影響。

浙東派

「浙東派」以黃宗羲爲開祖，至萬斯大、萬斯同、邵晋涵、全祖望、章學誠、黃式三、黃以周而大成。

常州派

「常州派」即今文學派，莊存與、劉逢祿、宋翔鳳屬之。

桐城派

「桐城派」的著眼不在經學而在文學。姚鼐爲始祖，末流則重詩文而輕經學。

湘鄉派

「湘鄉派」以曾國藩爲主，曾氏是學者而活躍於政治。張裕釗、吳汝綸、薛福成、黎庶昌等屬之。

以地域來分別學派，大抵可以理解清朝經學的全貌。惠棟學派與地方的生產力有深遠的關係，江蘇、浙江的學者衆多也與衣食無虞有關。又兄弟都是才傑而且有大成，也是清朝學術的美談。

二流學者

三百五十人的二流學者，若以出身地方來統計，則是：

江蘇　一五〇　浙江　八八　安徽　三六

山東	一七	湖南	一三	直隸	一一
廣東	一一	福建	五	四川	四
江西	五	湖北	三	山西	三
河南	二	甘肅	二	廣西	一
雲南	一	貴州	一		

偏遠的甘肅、雲南、貴州尚且有學者出，古來帝王之都，文化中心的陝西，到了清朝，卻連二流的學者也沒有。

近世日本，即幕末明治以來，順應時勢而生的人物固然有綜合性的原因，未可以一概全；但是明治維新以至今日，薩長土肥出身的人物甚多，幕末學者則以水戶、信州居多。以歷史統計學來歸納清朝學者的出身，也頗有意義。

第三章　清朝的政治與儒學

清朝的文廟從祀

清朝得以從祀配享於文廟，即孔子廟的學者，是倍受推崇的。不但可以理解何人受到政府的賞識，也可以顯示當時的學術風尚。就光緒一代而言，光緒二年六月上奏從祀河間獻王劉德，三年九月奏准。歷來劉德只是享河間府的鄉祠而已，到了清末卻得以從祠文廟。光緒十一年上奏顧炎武、黃宗羲從祀文廟，三十四年奉准。同十八年宋朝游酢、二十一年呂大臨、三十四年則是清王夫之得享從祀。

河間獻王劉德之所以從祀，乃以獻王始倡「實事求是」，而「求是」是清代學風的特色。顧炎武是「以紫陽爲的」，黃宗羲「以愼獨爲歸」，而「兩家之學皆深入於宋儒，而又能抉許鄭之精，判賈孔之誤」，亦即兼取宋學與漢學，又有宋學之長處，故得以從祀。由此可知當時朝廷於學術的宗尚所在。《東華續錄》於光緒三十四年九月，敍述著「闡明聖學，傳授道統，學術精純，經綸卓越，欽定《國史儒林傳》，以炎武爲尊，宗義、夫之次之。……炎武德行、問學、尊道並行。」可知從祀的標準，與其說是綿密的考證研究，不如說是在實行修養的重視。

其次敍述政治上，崇敬孔子一事。

梁啓超主張孔子紀元

清末紀元之所以被强調，乃由新思想者所提出的。日本是萬世一系，神武天皇紀元，至今已近三千年，即以歷史傳統而有著國體的尊嚴。西洋以耶蘇紀元。中國也有悠久的歷史，不可沒有紀元。因此有人主張孔子紀元。此人即是康有爲的弟子梁啓超。光緒二十八年，梁啓超三十歲，所著《飲冰室文集》出刊，其序文的記年則是「孔子紀元二千四百五十三年」。孔子出生的魯襄公二十二年爲紀元之始。孔子爲聖人，以孔子紀年並無不可；但是就政治而言，不用清朝在位皇帝光緒的年號，而用孔子紀年，是大不敬。因此，康有爲、梁啓超犯了大逆不道的罪嫌。

清朝有嚴謹的避諱制度。尊敬孔子，孔子之名「丘」，避諱而缺筆改字爲「丘」。避諱缺筆大抵無礙，但是以爲紀元的年號，則是「不奉正朔，亂臣賊子之尤者」，而受到彈劾。可以想見，一方面尊崇孔子；一方面與國家大體有關連的時候，則不被允許。

聖諭與儒教思想

以經學的實踐性而用於政治上，的確有許多忌諱；然則清朝又如何對國民獎勵儒學。如日本的〈敎育敕語〉，清朝亦曾兩度頒行。分析其內容，也可以看出中日的差異。

第一次是清世祖順治九年頒布聖諭六條。

一、孝順父母　二、尊敬長上　三、和睦鄉里

四、教訓子孫　五、各安生理　四、毋作非爲

第二次是聖祖康熙九年頒行聖諭十六條。

一、敦孝弟以重人倫　二、篤宗族以昭雍睦

三、和鄉黨以息爭訟　四、重農桑云云

五、尚節儉云云　六、隆學校云云

七、黜異端以崇正學云云　八、講法律云云

九、明禮讓云云　十、務本業云云

十一、訓子孫云云　十二、息誣告云云

十三、誡窩逃云云　十四、完錢糧云云

十五、聯保甲云云　十六、解讎忿云云

是尊崇家庭道德與舊文化，重農桑以提高生產的儒家思想的揭示。但是就日本人的觀

點而言，不能說是盡善盡美。對父母兄弟的德目十分重視；對國家的德目卻付諸闕如，亦即無忠君的德目。要求成爲紳士良民的德目有六條或十六條，大抵已經頗爲完備；但是作爲國民修養的德目則不足。這或許是中日的差異。

現代研究外國學問的日本學者，或許熱心於學問的追求，而未必辨明內外，誠引爲缺憾的事。

室鳩巢的楠公論與諸家的批評

室鳩巢《駿臺雜話》卷四有〈論楠公〉（楠木正成）一文。楠公忠義善戰，然與諸葛孔明相較，則孔明爲重，楠公爲輕。草廬三顧之後，孔明才任官於蜀昭烈帝；天子一度御召，楠公即效命，未免過於輕率，大抵爲功名中人。此爲鳩巢先生的千慮之失。重孔明而輕楠公的論調，必爲尊重國體的人所非議。高山彥九郎即是其中的一人。據鹽谷宕陰、杉山忠亮的〈高山彥九郎傳〉，彥九郎看了《駿臺雜話》後，立即怒髮衝冠而說：此儒者甚不知事，孔明與劉備本爲他人，故三顧始亦未遲。我國萬世一系，奉戴天子。天子有難，一刻不躊躇，奔馳趨往。況楠公爲橘諸兄卿遠孫，身居河內之國，即使御召不下，奔馳赴難亦可。楠公較孔明輕率之說，是不明內外之別也。

小野湖山的詠史詩：

聖諭缺少國家思想

忠純應過武侯倫，一拜龍顏即致身。
乾坤開闔關出處，可待草廬三顧人。

雖不似高山彥九郎激烈，對楠公忠烈的推崇則與高山氏相同。市野迷庵的詩亦同，大抵嚴厲的批評《駿臺雜話》。又平正義《楠公論迺辨》亦對室鳩巢有所評論，其以爲內外之辨與忠君愛國的精神養成，是教育上的重大問題。

從清朝發達的古文來看，「國」字的意義：

國（古文「或」）
- 戈—干戈—主權
- 口—人口—人民
- 一—平地—土地

《說文》的解釋是以干戈護衛國家，決無輕忽國家的含義。但是上述的六條與十六條的聖諭中，於國體、忠君之事，完全沒有提到。清朝經學何其盛行，又有從祀文廟以表彰儒學，卻不重視「忠君愛國」，不免有作佛而不入魂之嫌。再者「干戈」之「戈」有尚武的精神，「武」有止戈和平的意義，此清代《說文》學也有說明。

以上是就日本人的觀點論述六條、十六條聖諭的缺失。最後介紹曾國藩的〈聖哲畫像記〉，作爲本文的結論。

曾國藩的〈聖哲畫像記〉

曾國藩的《曾文正公文集》中，有〈聖哲畫像記〉一文。記述古來最可尊敬的聖賢哲人三十二人。三十二人中有歷代的學者、力行者及清朝當代的學者。由曾國藩所列學的聖哲，也可以看出清代的學風。其三十二人爲：

文王、周公、孔子、孟子、班固、司馬遷、左丘明、莊子、諸葛亮、陸贄、范仲淹、司馬光、周子、程子、朱子、張子、韓退之、柳宗元、歐陽修、曾鞏、李白、杜甫、蘇東坡、黃山谷、許愼、鄭玄、杜佑、馬端臨、顧炎武、秦蕙田、姚鼐、王念孫。

至於諸人之所以可以尊敬的所在是：

文、周、孔、孟之聖。

左、莊、馬、班之才。

周、程、張、朱之德行。

葛、陸、范、馬之德行政治。

韓、柳、歐、曾、李、杜、蘇、黃之文學。

顧、秦、杜、馬、姚、王、許、鄭之考據。

所謂「學問」，畢竟是包含義理、詞章、考據，其究極則是曾國藩所說的學德兼備。

附錄三種

安井小太郎
山田準等述
市村瓚次郎

連清吉譯

附錄一　朱子的經學

安井小太郎述
連　清　吉譯

一、慶曆學派

宋學

慶曆學派在程朱學派之前，講朱子學非從慶曆學派說起不可。北宋末到南宋初之間，有周茂叔、程明道、程伊川、張橫渠、朱子等學者出，排斥漢唐諸說，以宇宙大法爲本，講明人道，以窮理盡性爲本，研究心性。此種學說稱之爲宋學或程朱學。此學盛行於元明，至明末清初考證學興起而逐漸衰微。近時又有復興的機運。宋學者的學說，可通過對周茂叔《太極圖說》及《通書》，程明道《識仁篇》及《定性書》，張橫渠《西銘》、《正蒙》，程伊川《易傳》，朱子《四書集註》的考察研究而得其梗概。

宋學者之說頗出於佛教

宋學中類似佛理之說的極多。周茂叔《太極圖說》中，「無極而太極」是衆所周知的形上理論。其實，此說是本於唐杜順和尚的「華嚴法界觀」。朱子的「萬物各有太極」，出自「一草一木亦皆摩訶毘盧舍那現身」。其他諸說也頗多出自佛教的。這是有必要研究的問題。上述的五人中，除了伊川沒有修習佛學的迹象外，周茂叔、程明道、張橫渠皆學佛學，朱子對佛學則有相當的研究。其實，伊川雖自稱對佛學不曾研究，由於當時佛學隆盛，對佛學也有約略的理解。這從其著作中有提到佛學的事，可以爲證。其他有關的證據也很多。

周程張朱何以借佛說以說儒學

周程張朱等五子何以以佛說來說儒學，有人以爲或許五子爲佛教徒，爲了推廣佛教而以陽稱儒學陰奉佛教。其實五子並非佛教徒。又有人以爲五人不是佛教徒而是儒者，但是儒學不如佛教那般盛行，故借佛教而說儒學。其實五子極力於宋學的倡行而全力攻擊佛學。考察五子的著書，攻擊佛教的論述隨處可見，甚至於有比佛教爲禽獸之道的嚴厲批判。如此便產生譏佛卻以佛爲本的疑問與矛盾。何以宋學有本佛教之說又攻擊佛教的矛盾，我以爲不說明慶曆學派的學術狀況，無法說明宋學矛盾的原因所在。

宋初學風與政治

要敍述慶曆學派，宜先概述宋初的學風與政治。

太宗、眞宗尊古學

宋太宗端拱元年，孔維受命校勘唐孔穎達《五經正義》。六年後，即淳化五年完成

眞宗信仰道教

眞宗時國庫空虛

仁宗標榜節約，壓抑道教

出版，即現今北宋版單疏本。頒行各地學校。眞宗時的進士考試，考題爲《論語》的「當仁不讓師」。考生賈邊解「師」爲「衆」。古注「師者先生」。宰相王旦以賈生不從古注而採異說，故落第不取。由此可知，宋初至眞宗時，仍然重視古學，即漢唐的注疏。

探究眞宗時代的思想潮流，由眞宗的謚號可以窺知誠篤地信仰道教，故用與道教有關連的「眞」字。宰相王欽若、寇準也都是道教的信徒。今日中國的道教盛行，大概受到此時的影響不少。在財政方面，山西省西部趙元昊的叛亂，由於寇準的才略而平定，契丹入侵也終告平息。然朝廷企求天下太平而信奉道教，修建道觀，印行天書而耗費莫大的財源，導致國庫虧空，契丹再度入侵，又歲幣三十萬金以媾和免除戰禍。當時有主張停止歲幣，堂堂交戰的奏議，卻因爲信仰道教，恐人民遭受殺害而罷議。由於歲幣獻金，國庫告急，眞宗即在此狀態下駕崩。

仁宗即位，首先標榜節約，壓抑道教。爲了獎勵節約，寶元元年殿試試題爲「富民之要在節儉」。呂溱應試大倡節約主義，仁宗親自圈選爲狀元，並出版呂溱的論文，頒行天下。慶曆三年，契丹再度入侵，仁宗爲取消軍需的整備，以歲幣五十萬媾和。爲圖節約以轉移人心，各方徵求意見。結果普設學校於天下，以養成實用人才爲

范仲淹主張儒家教育

慶曆學者的主張

慶曆學者的古典選擇

周程張朱以方便計，以佛學改變儒學的架構

事，又改正科學。至於學校教育的根本方針，宜以儒佛道何者爲正統的議論產生時，佛教爲外來宗教，前代信仰道教而弊害太甚，唯有以儒學爲主，實施實用教育方爲上策的意見提出。主張儒學的是范仲淹。依李覯〈袁州州學記〉的記載，接受新的教育者，「一有不幸，尤當仗大節，爲臣死忠、爲子死孝」云云。可以看出當時的教育方針與情事。歷來經學固然盛行，不過是成爲專家的個人興味，或爲了科學應試以求進身之階的工具而已。到了仁宗則成爲順應內憂外患的一大變革。故慶曆年間，經學由篤學者趣味性研究，或科學應試的工具轉變爲國民教育的根本。提倡經學實用教化功能的是慶曆學者。宰相范仲淹又改革大學制度，以在地方學校的胡瑗擔任大學校長，主掌教育、實行改革的范仲淹是跟隨慶曆學派中以實踐躬行聞名的戚同文問學，李覯是范仲淹的門人。胡瑗門下有羅從彥、李延平、程伊川、楊時。

不但是經書爲首，凡是所有的文獻會產生弊害的，一概不可選爲經典。司馬光、李覯等以爲《孟子》缺少君臣之道，而著《疑孟》、《常語》。歐陽修則以爲〈十翼〉非孔子所作。由於講究實用性，諸如上述的議論一時紛起。過去被尊奉的文獻，由於不合實用而被捨棄的，也屢見不鮮。受此影響而產生的，即是宋學。宋學者乃以重視實用性，即儒學以教育國民爲目的之理論爲基礎。於是周茂叔等五人提出異乎慶曆學派的主張。五人之假借佛教而說儒學，是因爲當時佛教盛行，世人較容易理會的緣故，並非眞正地尊信佛教。換句話說，是圖個方便，以佛教改變了儒學的架構。

二、慶曆五先生

慶曆學派的諸學者

儒學有以國民教育爲根本方針的必要，是慶曆學派的主張。慶曆學派，范仲淹、司馬光、歐陽修既是學者又是政治家，學派的師徒承繼關係如左：

一、戚同文—范仲淹—┬李覯
　　　　　　　　　├呂希哲
　　　　　　　　　└劉牧

一、胡瑗—程伊川—楊時—羅從彥—李侗—朱子

一、孫復—┬石介
　　　　├文彥博
　　　　└朱長文—胡安國

一、司馬光—劉安政┬劉勉之
　　　　　　　　└孫偉—劉芮—張栻

以上諸學者都是慶曆學派中的佼佼者，其門人也都是洛閩派中有名的學者。由此師弟傳授關係看來，研究朱子學而非從慶曆學派入手不可的事實，是可以知道的。

防止儒學的支離破碎

慶曆學派的學者主要研究《易》、《春秋》、《論語》、《中庸》，而且著重修身齊家治國的實用功能。以儒學旨在教化國民的儒學觀轉換歷來的儒學觀，而且由於歷來的個人性儒學研究有將儒學導向支離破碎的危機，因此主張儒學的實用化。太宗淳化三年（慶曆學派以前），以《禮記・儒行篇》賞與進士及第者，仁宗慶曆年間，則以《大學》、《中庸》作為獎賞，即是重視實用性的例子。

慶曆學者不說理氣心性，排斥道佛

慶曆學派的學者不說洛閩派所主張的理氣、太極、天道、鬼神、心性等，《論語》、《孟子》中與實用不相符者也毫不顧慮地捨棄。又慶曆學派也不涉及道佛二教，而專論儒學，因此道佛幾乎自然地消失無形。歐陽修的論說正可以代表慶曆學派的意見。其以為要用《論語》、《孟子》等沒有思想體系的語錄體經典與有思想架構的道佛二教相抗衡，是極其困難的事。慶曆學派所提倡的理論未必有完善的方法論；但是後起的宋學則有思想體系化的理論，即辨明佛教眞相的研究產生了。歐陽修主張去除經書

宋學把儒學體系化

對宋學的攻擊

陽明學的出現

考證學的出現

中不純的部分，於是明晰易解的宋學乃流行至明末。不過宋學從《易》、《太極圖說》、《五行說》、《老子》、《列子》抽繹出「無極而太極」的理論，已爲陸象山所質疑，於是陸象山與朱子相互論辯。到了明末清初，黃宗炎、胡渭批評宋《易》引用缺乏證據，甚且是杜撰的〈先天〉、〈後天〉、〈河圖〉、〈洛書〉等圖。戴東原也以爲朱子「本然性氣質性」之說於古無證。換句話說，在考證學派的考證下，宋學的弊端叢生，理論系統完全解體。其實，對於自身的理論，宋學者置身於五里雲霧中者也不乏其人，洛閩學派所謂的實用性的宋學，到了明初，就初學者而言，也成爲難以理解的專家之學。在宋學衰頽之際，產生了陽明學。但是，陽明學也是登堂易而入室難，强調實用性的「知行合一」，其結果也和宋學一樣，走向窮途，對世人未必產生任何影響。繼陽明學而興起的是考證學。考證學之所以興起，乃是因爲宋明理學各學派都根據自身獨特的見解與其他學派論爭而缺乏支持理論之證據的緣故。不過考證學到戴東原的時代，有著造極的成就，戴氏之後的考證學則變成爲考證而考證的學問，與社會現實毫無關連。現在正處於過渡期，今後的轉變則是個未知數。正值儒學轉型期的現在，排除《易》、《五行說》，以《四書》爲根本，建立儒家思想的體系，則是當前的急務。儒學不是宗教，而是主宰人的心學，《論語》、《孟子》所說的是日常之事，不是神祕不可理會的玄學。因此，只要有基本的涵養，即能理解，否則便無益於人。中國的儒學存在著「學究天人」等難以理解的學說。漢初以《易》、《五行》、《陰陽》爲天學；以《詩》、《書》爲人學。此「天」即有神祕的意義。到了東漢，以緯學爲天而稱之爲內學；以儒學爲外學，而且以爲儒學是平常之事，不依緯學則學說的神妙性就大減了。隋以後禁絕緯學而雜入道、佛。

天學與緯學

今後的儒學研究是窮究天人，或只明人事，若參入天理，宜建立或採取適切的方法論，則是今後的研究課題。

三、朱子的經學

朱子集宋學之大成

繼承慶曆諸儒的宋學的是朱子。亦即朱子是集宋學的大成。所謂大成是盡善於朱子的提倡。就內容而言，大多是朱子以前儒者的主張，而朱子獨創的較少。換句話說，朱子綜合了周、程、張以及己說而成的。朱子之於宋學猶如孟子大成孔子之說。

朱子的師承

有關朱子的學術著述，大抵記載於《朱子年譜》（志道會研究部、昭和八年十月刊）。朱子的父親號韋齋，爲羅從彥的門人，與朱子之師李侗同門。韋齋以爲楊時的

由訓詁而義理是朱子的治學態度

朱子的著述

學說是程子的正統，專注致知誠意之學。朱子在十四歲以前接受家學。十四歲，遵從父親的遺志，從學於劉屏山、劉草堂、胡藉溪。不久，以爲三人的學問多出入於佛老之學而求去。二十四歲，從李侗（延平）聞道。聽李侗講《中庸》「喜怒哀樂之未發，謂之中」的「中」是天理，學問在求天理，而以靜坐爲要，深受感動。二十九歲、三十一歲、三十三歲曾三度求見，接受教誨。三十四歲時，著《論語訓蒙口義》、《論語要義》。此《要義》是蒐輯二程子、張橫渠等十一家之說而論述《論語》的義理。序文指出漢儒標明音讀，解釋訓詁而不辨制度名物。非正確地訓詁字義不可，但是不明聖賢眞義所在的義理也非正道。由此序文可知由訓詁而義理是朱子的治學態度。然則後世的朱子學者或由義理入手，誠不能體得朱子學問的眞諦。朱子之爲宋學的代表，其原因即在於訓詁與義理兼備。這也是朱子學的特色，而爲人尊崇的所在。四十三歲作《論孟精義》及《資治通鑑綱目》。四十八歲著《論孟集注或問》、《詩經集傳》、《周易本義》。五十五歲駁斥呂祖謙門人傾向功利說，翌年批評陸學、陳學。五十七歲作《孝經刊誤》、五十八歲作《小學》、六十歲完成《大學、中庸章句》，六十七歲作《儀禮經傳通解》、六十九歲作《書經集傳》。七十一歲，三月甲子卒。有關《四書》的著作，最初完成的是《論語要義》，經過九年，完成《論孟精義》，五年後，作《論孟集注或問》，再十二年，則有《大學、中庸》的章句。《大學》、《中庸》成於紹熙元年，第二年出版《四子書》。研究朱子學宜從《四書》入手。其次爲《通鑑綱目》、《詩》、《易》。玆敍述各書的梗概及其特色。

(一)《大學》

朱子《大學》研究的特色

把《大學》從《禮記》抽出的並不是始於朱子。但是將《大學》分爲經和傳，補傳的缺脫，則是朱子的見解。再者，朱子以爲《大學》的經文是孔子之言而曾子所記述的，傳文則曾子之言而曾子的門人所記錄的。至於以「虛靈不昧」解釋「明明德」的「明德」，提出「三綱領八條目」的，也是朱子的獨見。而改定《禮記》原文的錯簡，雖然二程子也有，不過朱子和二程子的所見卻有差異。據毛奇齡的《大學證文》和翟灝的《四書考異》，歷來的《大學》改定本，一共有三十種以上。古書並非沒有錯簡，朱子的改定爲是，明道的亦可，伊川的也並無不可。但是一再地改定，則不免產生困惑，再者，古書原本應是如此的斷定，也不免過於武斷，有疑而存疑，或許較爲適當。

朱子以爲《大學》是「所以教人之法也」，即以《大學》爲教示學問方法的經典，所以應先讀《大學》，而後爲《論語》、《孟子》，最後才是《中庸》。從前的朱子學者即按

以經書確立儒學的思想體系

經是孔子之言，傳是曾子之言的論述沒有證據

以《大學》的傳爲曾子之言是爲了說明道統

《大學》、《論語》、《孟子》、《中庸》的順序來讀《四書》。

接著敍述朱子學問的全體大用。朱子解釋經書的方式有訓詁與義理。義理則可歸納爲理氣、天理、人欲、體用，而其結構則爲：

○太極　理、天理、道心、體、道、形而上

○陰陽　氣、人欲、人心、用、器、形而下

即儒學要能實際運用，則不能沒有義理結構，以理氣體用統攝《學》、《庸》、《論》、《孟》，亦即由經書以確立儒學的思想架構，是朱子解經的態度。《大學》也依此架構而以三綱領爲體，八條目爲用。《中庸》的經爲體而傳爲用，至於理則爲體而氣則爲用。因此研究朱注時，不能不留意理氣說與體用說。程子以《大學》爲孔氏之遺書，又《漢書·藝文志》所載，魯恭王擴張宮殿，壞孔子舊宅，由壁中發現以古文書寫而與《論語》、《孝經》及《禮》相關的書極多。戴氏兄弟集此古文而成《大戴禮》、《小戴禮》。現在的《禮記》即《小戴禮》確實是孔氏遺書，但是誰人所藏則不可知。至於《大學》與曾子的關係，朱子以爲經是孔子之言，傳是曾子之言，並沒有證據。「曾子曰：十目所視，十手所指，其嚴乎」云云，雖是曾子所說的無疑，但是《大學》所傳，全部是曾子的門人所記載的，就未必有充分的證據。然而何以朱子要說《大學》的傳是曾子之言，

即以曾子列入儒家的道統。「道統」一詞雖後出；《孟子・盡心》已有「道統」的理念，韓退之的「原道」指出：「軻之死不得其傳焉」，即明白地說明孟子爲儒家道統的一人。以《大學》爲曾子所作，則孔門道統即能連貫。由孔子而曾子，而曾子的門人子思，而子思的門人孟子。《四書》的順序則是《論語》、《大學》、《中庸》、《孟子》，而稱之爲《四子書》，這是朱子獨創的見解。

(二)《中庸》

朱子以理氣體用說注《中庸》

《中庸》鄭、朱之注的差異與朱注的特色

《中庸》沒有錯簡說，只是像《大學》一樣，分爲經傳。《中庸》爲子思所作，見於《史記・孔子世家》，或不必存疑。著作的理由甚多，在此省略不論。自《禮記》抽出，是與抽出《大學》有相同的用意。歷來都是根據鄭玄注，朱子則以理氣體用說注解《中庸》。鄭注以爲「記中和之爲用」，所以謂之「中庸」。朱子則從程子之說，以「不偏不倚、無過不及而平常理」而稱之「中庸」。至於「中庸」的「中」，不是「中和」的「中」；而是「發而中節」的「中」，即非未發之中而是既發之中。鄭玄之說爲非。朱注「天命之謂性」，而說「性即理也」。此「性即理」說，非始於朱子，是朱子巧妙地運用融合宋學者的見解而已。此說是否體得《中庸》作者之意，尚有進一步考察的必要。又如「中和」之「中也者，天下之大本也。和也者，天下之達道也」的朱子注：「大本者，天命之性、天下之理，皆由此出，道之體也。達道者，循性之謂，天下古今之所共由，道之用也。」即以體用理氣解釋經書的證據之一。又第十二章「君子之道費而隱」的注「費，用之廣也。隱，體之微也。」又是一個證據。朱子以「君子之道費而隱」爲第十二章的句首，鄭注則以爲前章的末句。至於解釋方面，朱子以君子之道分明而難行；鄭玄則解爲「言可隱之節也，費猶佹也，道不費則仕」，即以爲道不行則隱居不仕。衡量二者的解釋，朱子的較爲正確。

《中庸章句》的序文是兩性說的敷衍

朱子《中庸章句》序文是一篇名文。乃是根據《書經．大禹謨》的「人心惟危，道心惟微，惟精惟一，允執厥中」與《論語．堯曰》的「允執其中」而敷衍「兩性說」。這也可以說朱子思想的宗旨所在。《大禹謨》是僞古文，部分字句出自《荀子》，是很清楚的事，說是堯舜傳授的心法是錯的。但是取代鄭注的朱注卻廣爲後人所傳頌。比較鄭朱的注，仍然以朱注爲佳。

(三)《論語》

《論語》朱注的特色

《論語》朱注值得一提的甚多，在此只敍述其二三特點。例如〈學而篇〉的「孝弟也

「孝弟也者其爲仁之本與」章的注

者，其爲仁之本與」的注，引程子（伊川）的主張說「謂行仁自孝弟始，孝弟是仁之一事，謂之行仁之本則可，謂是仁之本則不可。蓋仁是性也，孝弟是用也。性中只有箇仁義禮智四者而已，曷嘗有孝弟來。然仁主於愛、愛莫大於愛親，故曰孝也者其爲仁之本與。」宋學者以仁義禮智是性而非德。《孟子》說：「惻隱之心，仁之端也。羞惡之心，義之端也。辭讓之心，禮之端也。是非之心，智之端也」是宋學言性的根據。故朱子的《集註》說：「行仁，自孝弟始，性中只有箇仁義禮智四者而已。」又《或問》說：「孝弟爲仁之本，此是由孝弟可以至仁否。曰：非也。謂行仁自孝弟始，孝弟是仁之一事，謂之行仁之本則可，謂是仁之本則不可。」以上的注全引程伊川之說，即孝弟與仁不同，而且也非德。

「詩三百」章的注

《爲政篇》的「思無邪」的注：「凡詩之言，善者可以感發人之善心，惡者可以懲創人之逸志，其用歸於使人得其情性之正而已。」即就《詩經》一書而言；不是品評各篇的詩。

「子見南子」章的注

《雍也篇》第六的「子見南子」，孔安國也懷疑，是古人懷疑較多的篇章。朱子採劉原父之說，「蓋古者仕於國，有見其小君之禮。」由於缺乏確鑿的證據。而且孔子也未必言此禮，故朱子的注頗受非議。

「顏淵問仁」章的注

〈顏淵篇〉第十二的「顏淵問仁。子曰：克己復禮。」古注以爲克己而復禮。朱注說：「己謂身之私欲也，復反也，禮者天理之節文也。」即克制人心而返復天理，亦即理氣說。

「陳成子弒簡公」章的注

〈憲問篇〉第十四的「陳成子弒簡公。孔子沐浴而朝，告於哀公曰：陳恆弒其君、請討之。」此事也見於《左傳・哀公十四年》「公曰：魯爲齊弱久矣，子之伐之，將若之何。對曰：陳恆弒其君，民之不與者半，以魯之衆，加齊之半，可克也。」朱注：「程子曰……孔子之餘事也，豈計魯人之衆寡哉……胡氏（胡安國）曰：春秋之法弒君之賊、人得而討之。仲尼此舉，先發後聞，可也。」魯國小，齊國大，勝負難期。孔子不至於以他國之事而不顧自身國家的安危。這也是朱注被後世學者批評的所在。其實孔子並非主張戰爭，只是勸諫哀公對齊國發出警告而已。

「子路、曾皙、冉有、公西華侍坐」章的注

〈先進篇〉第十一的四子言志，三人各言其抱負而曾點未言，孔子勸誘後，曾點說：三人各言其政治上的主張，自身的志向與三人不同。孔子說：「何傷乎，亦各言其志。」曾點說：「莫春者，春服既成，冠者五六人，童子六七人，浴乎沂，風乎舞雩，詠而歸。」孔子說：「吾與點也。」孔子何以稱譽曾點，常爲宋學者視爲問題而議論於文章和語錄。朱子說：「曾點之學，蓋有以見夫人欲盡處，天理流行，隨處充滿，無少欠闕」云云。即以孔門師徒對話作爲其「天理人欲」的一個例證。其實孔子未必有「人欲盡處，天理流行」的想法，大抵同意曾點所提出的青年教育的理念。

「參乎吾道一以貫之」章的注

〈里仁篇〉第四「吾道一以貫之」的「一」，朱子以爲是「天理」，說：「聖人之心，渾然一理，而泛應曲當，用各不同。」又說：「譬則天地之至誠無息，而萬物各得其所也。」即以「體用理氣」解釋「一」的意義。其實，一貫之說未必如此難以理解，一貫之理是隨處可見的，《孟子》亦然。追根究底地說，以「理氣、體用、天理、人欲」架構《四書》的義理系統是朱子經學的究極，因此，朱注中幾乎沒有一處不與此四者有關。至於訓詁方面，朱子引述最多的是《說文》和《爾雅》。

(四)《孟子》

朱子的《孟子》的注釋態度大抵與《論語》相同。〈告子篇〉與〈盡心篇〉的注釋，最有宋學的學風。茲例舉二三說明之。

「齊人伐燕」章的注

〈梁惠王下〉的「齊人伐燕」章的朱注：「至武王十三年，乃伐紂而有天下。」此與《書經・泰誓》的「惟十有三年、春大會于孟津」的蔡《傳》完全相同。或許朱子根據〈泰誓篇〉而作注的。但是武王伐紂是在文王死後的二、三年而不是十三年。此「十有三年，春大會」是文王受命十三年，而非武王即位十三年。

「王者之迹熄」章的注

〈離婁下〉的「孟子曰：王者之迹熄而《詩》亡；《詩》亡，然後《春秋》作」的朱注「《詩》亡、謂〈黍離〉降爲國風，而雅亡也」是經常爲人所引爲證據的。〈黍離〉是《詩經・王風》的首篇。〈王風〉是自天子所在處採錄的詩，天子政績隆盛則編入「雅」。朱子稱「徙居東都王城，於是王室遂卑，與諸侯無異，故其詩不爲雅而風。」此一論說並不正確。所謂「風、雅」是根據詩的性質，即使是諸侯的詩也有不收入「雅」的。所以〈黍離〉的性質屬「風」，而收入〈王風〉。

朱子是以一貫的義理結構，即同一主義來注解《四書》，故大抵以宋學來解釋《四書》。因此，《四書》的注最爲完備。至於《五經》的注則不如《四書》。

(五)《資治通鑑綱目》

朱子以《春秋胡傳》的筆法撰寫《通鑑綱目》

《通鑑綱目》雖然不是經書，卻根據足以匹配《春秋》的司馬光《資治通鑑》而作的。故年代也始於威烈王，即意在繼孔子《春秋》而作的。但是撰述的體裁則採取異於《春秋》的歷史散文體。朱子即用此文體，以承繼《春秋》爲目的而寫到五代末。宋胡安國不依《春秋三傳》而用獨自的見解撰寫《春秋傳》，即所謂的《春秋胡傳》。朱子以爲《胡

朱子以名分論主張蜀爲正統

褒貶論

名分論對日本的影響深遠

傳》得孔子的筆法，故用《胡傳》的筆法，著作《通鑑綱目》。此書值得議論的所在極多，在此僅摘錄二三重要議論說明之。再者，《通鑑綱目》有凡例六七十條，爲理解全書要旨，亦略而不述。

首先值得提出的是《通鑑綱目》與正史等史書的史觀有差異的所在。陳壽的《三國志》與司馬光《資治通鑑》都以魏爲正統，以魏的年代爲編年敍述吳、蜀的史事。朱子則以蜀爲正統。司馬光以正閏論說至三國的歷史。漢儒以五行生剋而論歷代的正統，堯爲火德、舜爲土德、禹爲金德、湯爲水德、周爲木德、漢爲火德，秦居閏位，而定正閏論。司馬光以爲此說不足據。於是，魏繼漢而起，蜀並未承漢，又劉玄德爲中山靖王之後的眞僞也難以辨明。因此，以歷史年代的前後相承的關係，以魏爲正統，至於《春秋》褒貶之說則擱置不論。朱子則主張名分論，以劉蜀爲正統，亦即《春秋》重名分，蜀自然居於正統的地位。這是朱子以自身學問宗旨而發的議論。又《史記》有〈呂后本紀〉，《通鑑綱目》則削除呂后的記述。揚雄仕王莽，《通鑑綱目》記述揚雄死的事說「莽之大夫揚雄死」。又有關陶淵明的死，則說「晋徵士陶潛卒」，也是根據《春秋》褒貶而記述的筆法。像這樣褒貶的例子很多，可以證明《通鑑綱目》與《春秋》的形式大體是相同的。就朱子思想對日本的影響而言，《通鑑綱目》的「名分論」遠超過

山崎闇齋的《倭鑑》

《經書》的「理氣說」。換句話說，朱子學影響及日本的是《通鑑綱目》。接受朱子「名分論」的見解而著述的是山崎闇齋的《倭鑑》。此書雖只完成「目錄」，大抵可以窺知山崎闇齋立說的旨趣。即以日本的南朝爲正統而將北朝列入附錄。又日本的女帝元明、元正也列入附錄。以南朝爲正統是倣《通鑑綱目》的三國南北朝的體例，女帝入附錄則倣倣《通鑑綱目》削去呂后、則天武后而不載的筆法。以正統名分即位的女帝視同呂后、則天武后的作法，雖然未必妥當，卻可以知道闇齋受《通鑑綱目》影響的程度。

(六)《詩經集傳》

朱子删去《詩序》

朱子《詩經集傳》有從歐陽修、鄭樵之說而不信《詩序》和據吳棫（才老）之說，以叶韻注詩的兩個特色。古來字義訓詁都採《毛傳》、《鄭箋》。《詩序》旨在說明詩作的原因，不採《詩序》，則不明詩的成立經緯，而且於文句的解釋也發生困難，故古來多信《詩序》。有人以爲《詩序》是孔子作的。其實《詩序》不但不是孔子作的，也不是子夏作的。朱子不採《詩序》，只根據詩的文字來解釋詩的內容。《詩經》頗多男女戀愛的詩，《詩序》以爲是爲諷刺時潮而作。朱子則以爲是戀愛淫亂之作，而且數量不少。但是《論語・爲政》第二章「詩三百，一言以蔽之，曰思無邪。」則詩三百中沒有淫惡之詩，朱子解釋「無邪」說：詩中有善詩也有惡詩，讀惡詩，則依之而自我反省。（無邪）即讀詩之人的想法。有關朱子對《詩序》的論述，詳見《詩序辨說》。

叶韻說

《詩》的韻與朱子時代的音韻有極大的差異。根據朱子的說法，甚難理解爲同韻者不少。如《集傳》卷五〈彤弓〉中的「戴」（sui）、「喜」（ki）、「右」（yu）爲叶韻。此用日本語來考察，也未必同韻。朱子以爲「戴」叶子利反、即「シ」，「右」叶于記反，即「イ」，由於是「シ、キ、イ」，故音韻無別。所謂「叶韻」是因時隨文而特殊製作的音，以求其相合，至於音韻與意義未必有任何的關連。但是清朝顧炎武、毛奇齡等音韻學者出，音韻學盛極一時，得以藏諸名山的著作也有不少。根據清儒的研究來說，朱子以爲音韻有異的，是以後世音韻所作的判斷；如果以古音來說，朱子以爲有異的，却都是正確無誤的。

就以上的敍述而言，《詩經》研究有否定《詩序》與「叶韻說」的特色，至於天理人欲理氣的論述就極少了。

(七)《周易本義》、《啓蒙》、《蓍卦考誤》

《周易本義》的撰述目的

朱子之所以撰述《周易本義》，乃是其於王弼混雜老、莊，程伊川只說義理而未及

《蓍卦考誤》

《孝經》經傳說

《書經蔡傳》可作爲朱子經說的參考

象數。因此，頗涉及象數的論述。但是有關〈先天易〉、〈後天易〉、〈河圖〉、〈洛書〉、虞翻卦變的見解，大抵是根據邵康節的《易》說。義理的敍述也和程伊川的相同。另外，採信〈先天易〉、〈後天易〉、〈河圖〉、〈洛書〉等僞書，頗爲後人所批評。雖然象數的論述未必根據上述的僞書；但是朱子於《易》未必有深入的研究。因此，明薛敬軒批評朱子根據邵《易》而注《易》是錯誤的。

《蓍卦考誤》旨在駁擊道士的《易》說。

(八)《孝經刊誤》

朱子以爲《孝經》的「詩曰」爲後人附會而删去。以〈開宗明義〉章至〈孝平〉章爲經，〈孝平〉章以後的部分則爲傳。即除去「子曰」，而形成一經文形式。此書是朱子改經中最難採信的一部著作。

(九)《書經集註》、《儀禮經傳通解》

朱子未曾著手撰述而令他人完成的是《書經蔡傳》。陳振孫《直齋書錄解題》主張〈二典〉、〈大禹謨〉、〈召誥〉、〈洛誥〉、〈金縢〉是朱子所作的。蔡沈的序文也指出：

〈二典〉、〈禹謨〉、先生（朱子）嘗是正，手澤尚新。」雖然如此，《蔡傳》中，可理解是朱子所說的只有「武王十三年」一說，因爲這是《孟子集註》與《書傳》相同的所在。因此，只能說《書經集注》僅可以作爲研究朱子經說的參考。

《儀禮經傳通解》

朱子以爲《禮經》分爲三書而難以合而爲一，乃以《儀禮》爲經，抽出《周禮》、《禮記》、其他禮書之相關部分作爲傳。又別立名目，教示學禮的要領，而作《儀禮經傳通解》。此書晚年起稿，未完成而病死，其中八成左右是由門人黃榦所完成的。

朱子以「理氣體用說」解釋經書，特別是以《四書》爲儒學之主體、國民教育的根本，乃傾注平生精力而著作《集註》。《通鑑綱目》亦然。《五經》的注疏只是盡其餘力而已。

朱子經學狹隘了孔孟之道

以上是朱子經學的梗概，由於只著眼於個人的修養，而忽視於政治上的意義，使孔孟之道不得上達，是朱子學較爲狹隘，令人引爲缺憾的所在。

附錄二　從王陽明看朱子及朱子學

山田　準述
連清　吉譯

有關「從王陽明看朱子及朱子學」的資料極其貧乏，在有限的資料中敍述我個人的意見。

一般是就學派而分別爲朱子學和陽明學。就另一層次而言，二者都是孔孟學或人性學。又由於學術立場的差異而分爲朱子學和陽明學。

要探討「何謂朱子學」的問題，或許可以從中國儒學發展來說明。秦始皇焚書坑儒，學術頹廢不振，漢武帝設立五經博士，訪求天下遺書，古典研究，即所謂的訓詁學盛行。東漢時，賈、馬、鄭、王等訓詁學者輩出。魏晋南北朝時詞賦文章，即所謂的詞章學興起，思想上則是道教與佛教流行，而時世則戰亂連綿。到了唐代，不但社會秩序回復，學風也有復古的傾向。唐太宗貞觀年間，敕命孔穎達等撰述《五經正義》，注疏古注，注疏之學於是開啓。換句話說，唐代由於復古思想的風靡，經學研

朱子學回復心性之學

究也大行於世。五代戰亂相繼五十年，到了趙宋，社會才又安定。不過學術風尚卻有所變動。唐以注疏經傳的復古為傾向；宋則打破傳統，自由研究的風氣勃興，至於經書的研究，則以探究經傳核心為目的。所謂核心，是指古聖賢的精神。至於孔子的精神為何，其信念在天，其心體則是《論語》的「絕四」，即取去自我心中的「意、必、固、我」。孔子至極思想的「仁」，即顏回所謂的「克己復禮」，亦即在克制人慾而復禮之上，「仁」才能成立。《孟子》則直截了當地說：「學問之道無他，求其放心而已」。總而言之，唐代學術在「復經」，宋學則在「復心性」。天即理，性亦理，復性究理，去人欲而存天理的性理學成立，這是宋學也是朱子學的究極，也是堯舜孔孟的核心。批評宋學的人斷定宋學的學風是禪學，這是極為可笑的。人取去心性之後，所殘存的只有形骸而已，以為只有佛學才探究心性之學，是錯誤的。學問必然是以心性問題為復歸，人也當然是安立在心性之上的。以論述心性為究極的宋學、朱子學是學問研究上畫時代的飛躍，也是儒學上百花盛開的時代。

朱子的知先行後說

朱子學的思想主旨在於「居敬窮理」。此與《易》「敬以直內、義以方外」的旨趣相同。內以居敬，外以窮理，內外雙修而建立完整的人格是朱子學的要義。此義理見於朱子的《大學章句》，朱子以八條目的格物致知而研究窮理，並作為學問的根源所在。朱子說：「知猶識也。……格至也。……窮至事物之理，欲其極處無不到也。」（《大學注》）以窮理爲學問的根本而至誠意正心的實行。換句話說，朱子是主張「知先行後」的，由窮理研究而體得正當的知識，而後付諸實行。因此，「知先行後」是穩健平實的學說。

王陽明的五溺

王陽明的知行合一論

王陽明的致知格物論

王陽明處身於朱子學盛行的時代。雖然如此，王陽明以爲朱子學衰微，陷於苦悶懊惱的「五溺」深淵。所謂「五溺」是指任俠、騎射、詞章、道教、釋教。三十七歲被貶流放爲貴州龍場驛驛丞，苦悶沈思的結果而徹悟「聖人之道，我性自足，向求理于事物者誤也」。這是陽明學的根本觀念，與朱子學所謂的復心性重精神的學說並不相齟齬。就王陽明也以去人欲、存天理爲修學的眼目而言，陽明也可以說朱子學派的學者。但是朱子力倡居敬窮理，以內外兼修爲主旨。王陽明則學問不分內外，立說道一也，學一也，內在存養是無事時的省察，外在省察是有事時的存養。由此可知王陽明否定朱子的「知先行後」而主張「知行合一」。就《大學》的「格物致知」，王陽明以爲致知是實行，格物則是格正心上之物。即「格物致知」並非研究而是工夫，《大學》的八條目不是事理的研究而是徹頭徹尾的實行。

王陽明的致良知論

王陽明於五十歲時提出「致良知」教。致是擴充到底，良知是天理的自然，即本體的知，「致良知」之外無學。由上所述，朱子學與陽明學雖有小異，由復心性、存天理而探究義理的核心而言，二者關係極爲親近，甚至於可以說是親戚同志。

人間第一等事在學聖賢

陽明學完成的過程

王陽明天資聰穎，性格眞摯。十二歲隨父親赴京城，入塾就學。問塾師說：「何爲第一等事。」塾師回答說：「讀書登第。」王陽明說：「登第恐未爲第一等事，讀書學爲聖賢耳。」父龍山公聽而笑曰：「汝欲做聖賢耶。」稍長，王陽明感嘆時世說：嗚呼！聖賢君子之學，世捨之久矣，不啻如土苴，苟言聖賢之言，世人非笑詆斥之，以爲怪物。大抵可以明瞭當時的學術風尚與陽明的憤慨。然則王陽明的聰敏天稟，卻與顏回的聰明有異，陽明多了幾分熱熾的情感。十五六歲時，專注於朱子學的格物致知說，讀到程子「衆物必有表裡精粗，一草一木皆涵至理」，爲窮究其事理，「取竹格之，沈思其理不得，遂遇疾。」於是順隨世俗的習尚，轉攻詞章之學。十八歲結婚，與新婦返鄉，途經廣信，謁見婁一齋，「語宋儒格物之學，謂聖人必可學而至。遂深契之。」婁一齋與陳石齋、胡敬齋同爲吳康齋的門下，爲脫卻傳統外殼的朱子學者，王陽明或得到婁一齋極大的啓發，詳細原委並沒有載記流傳。二十七歲，潛心於格物窮理，「然物理吾心，終若判而爲二也，沈鬱既久，舊疾復作。益委聖賢有分。偶聞道士談養生，遂有遺世入山之意。」三十四歲，決心揭示聖學，與同志講斯

王陽明以爲朱子也認同尊德性之事

道，此時結識湛甘泉。三十五歲，違逆宦官劉瑾之意而入獄，終流謫貴州龍場驛。於荒驛萬山煩悶之際，終日默坐沈思聖人如何處困頓之境，又如何安住其心，終體悟「聖人之道，吾性自足，向之求理於事物者誤也。」時三十七歲。四十歲時任軍務提督，轉戰南方各地。五十歲揭「致良知」之教，陽明學大抵形成。

王陽明對朱子及朱子學抱持著什麼樣的見解。是本文的主題，王陽明五十一歲，對於門人徐成之（贊同朱子學）與輿庵（贊同陸象山）的爭論而提出的答辯，大抵可以明瞭其對朱子的態度，徐成之與輿庵的爭論是圍繞在《中庸》的「君子尊德性而道問學」一詞上。徐成之以爲朱子主張「道問學」，雖然有道德與學問支離的流弊，但是就循序漸進而言，則與《大學》之教一致。象山主張「尊德性」，其結果則陷入虛無寂滅，而與《大學》格物致知之教相違背。對於徐成之的意見，王陽明說：「（朱子）曰居敬窮理，曰非存心無以致知，曰君子之心常存敬畏。雖不見聞，亦不敢忽，所以存天理之本。然而不使離於須臾之頃也，是其爲言雖未盡瑩，亦何嘗不以尊德性爲事。而又烏在其爲支離乎。獨其平日汲汲於訓解，雖韓文、《楚辭》、《陰符》、《參同》之屬，亦必與之註釋考辯，而論者遂疑玩物。」即王陽明雖否定朱子注解《楚辭》、《陰符經》之事；朱子絕對沒有不重視「尊德性」，則比徐成之還認同朱子的學行。王陽

王陽明尊朱子爲先哲之師

明更贊賞朱子「折衷羣儒之說，以發明《六經》、《語》、《孟》於天下，其嘉惠後學之心，有眞得不可議者。」即以爲朱子的學問態度有影響及於天下後世的效果。王陽明又說：「僕於晦庵，亦有罔極之恩，豈欲操戈而入室者哉。」「罔極」一語出自《詩經・小雅》「欲報之德、昊天罔極」，意謂親恩之大如蒼天，表示王陽明以先哲之師般的尊敬朱子。

王陽明否定朱子非難陸象山之學爲禪學之說

王陽明批評朱子的所在，是不能苟同朱子以禪學非難陸象山。這也可以看出朱王學問的差異。王陽明說：朱子批評象山之學爲禪學一點，不免有失公允。雖然如此，也不能因此而說朱陸二人的存養不足，何況聖人亦有過，故朱陸二人仍是聖賢。不過朱陸二人的氣象有不及顏子與程明道的所在。後人宜體察二先生所難及朱陸二人所不足者，且以爲自己修養的借鑑，後人以朱子爲大儒，曲飾其缺誤，陷陸子於禪學，助成朱子鼓吹正論，皆不知朱子之心。王陽明以可取則取，可捨則捨的態度，可謂是公允的議論。尤以朱、陸氣象不及顏回、程明道一事最值得稱道。

王陽明尊敬顏子、程明道

陽明尊敬顏回，以爲「顏子沒而聖人之學不傳。」顏回的學問性格見於《論語・泰伯》的「有若無，實若虛，犯而不校。」這是曾子對其友人顏回的評價，以爲顏回氣象宏大，非他人所能企及。至於程明道的學術人格，則是「春風點蕩，和氣藹藹。」連豪放不遜的王安石見到程明道虛心平氣的態度，都說自慚形穢。由此可知王陽明說朱子、陸象山的氣象不及顏回、程明道是有道理的。

王陽明平生尊信朱子學說

王陽明平生不好與人爭論，其對朱子學說作如下的說明：平生尊信朱子之說如神明蓍龜，有背道而馳者，誠有所不忍也。不得已而牴牾者，是道理眞理的所在，不正之則道不可見。即除了學說的辨明外，甚少對朱子有所批評。

《朱子晚年定論》與羅整庵的攻擊

最後要附帶敍述的是王陽明於四十四歲所編輯的《朱子晚年定論》一書。《晚年定論》收集朱子晚年與人論己說不安穩之所在的書信三十四篇。此書問世後，朱子學者的異論紛起。首先發難的是著有《困知記》的羅整庵。羅整庵寫一封長信給王陽明，討論《古本大學》，並質問《朱子晚年定論》一書，大意是說：《朱子晚年定論》所收的書信未必完全是朱子晚年所寫，另外陽明與朱子的見解到底是有所差異的。王陽明回信說：所論甚是。並進一步地說，此《晚年定論》是朱子爲矯正弟子逞口舌之利的弊端的而導入正道的苦心之作。對不知道我的人，又何求何嘲，知我者必然知道我的苦心。書信含有中年之作，自己並有仔細考察，不過大抵是晚年之作。

《朱子晚年定論》是便於教導之作

總之，《晚年定論》是朱子循循善誘的便利之作，是時，陽明也年逾不惑。他曾說：自己在五十歲以前頗爲鄉愿，其後則善者爲善，惡者爲惡地堅信自己的所見，到了晚年則成爲一介狂夫。由此可知，《朱子晚年定論》是王陽明四十四歲時所收集而成的書，當時陽明或旨在說明自身思想與朱子有一致所在。其後，對於《晚年定論》，陽明一門也沒有任何議論。

附錄三　中國文學與朱文公

市村瓚次郎述
連　清　吉譯

朱子不只是大哲學家也是大文學家

甲

朱子誕辰至今已有八百多年，其間儒學雖不無盛衰隆替，如果翻開中國歷史，考察《論》、《孟》研究的書籍，敍述及朱子的不知凡幾。因爲朱子是道學，即儒家哲學的大成，有著打破儒家發展的沈滯而賦與生機的功績。雖然如此，朱子不但是大哲學家，也是具有資質的大文學家。古來旣是文學家又是哲學家的有不少；然而是哲學家又兼具文采的卻不多。在西洋學術史上，柏拉圖是二者兼備的哲人；但是康德在哲學研究上雖有卓著成就，文章卻艱澀難解。在中國哲學史上，朱子是儒家哲學的大成者，同時也具有大文豪的資質。這是難能罕見的。但是，一般人只理解朱子的哲學，卻不知道朱子的文采。今日如果只研究朱子的哲學而輕忽朱子的文學，就無法掌握朱子的全貌。這就是我之所以要從中國文學史的角度來探究朱子的偉大成就的原因所在。首先敘述中國文學發展的一斑。

中國語、中國字的特色

中國文學是由中國語（漢語）和中國字（漢字）組成的。從言語及文字的觀點來看，中國語言與中國文字各具有特色。因此，由中國語言與文字所構成的中國文學自然有其特色，要說明其特色之前，首先要說明語言文字的種類及系統。一般而言，世界的語言可大別爲順列語與倒敘語，所謂順列語是按主語、賓語、述語的順序來敘述的。日本、朝鮮、滿洲、蒙古、土耳其、匈牙利等都是。至於倒敘語則是主語、述語、賓語的順序，中國、印度等即是。中國語，即漢語是倒敘語而自成系統，與順列語的滿洲語、蒙古語不同。倒敘語的賓語在後，所以容易押韻；順列語的述語在後，故有語尾的變化而不容易押韻。倒敘語的諸國有押韻的詩歌；順列語的國家則極少。同屬倒敘語而言，中國和其他國家類似；但是中國語是單音節，有一音一義的特色。其他國家的語言，也有單音節的語音，但是大體都是以複音節爲主。中國語則全部是單音節。中國語（漢語）中，同音異義的很多，由於區別困難，就以音調來區別。因此平、上、去、入的四聲極爲發達。口述大抵沒有障礙，筆錄就頗爲不便，因此形成

表意文字的起源與文學的發生

一音一義的表意文字。

就文字的起源而言，一般是先有義，即表意文字，而後再轉化爲音，即表音文字。中國則先有表意文字的創造與使用，而且以中國爲中心而擴展東亞各地。此表意文字有其原始本義而且字數甚多，要記住是一件困難的事。雖然如此，只要延用至今，而且今後依然持續使用，則漢字的生命仍然綿延不斷的。爲何漢字會持續不斷，因爲同音異義的單音節文字，即使標注其音讀也難以區別；但是書寫出其表意的文字，就能排除此一困難。所以只要中國文字不變化其語言的性質，其生命將延續不斷。

單音節的文學是世界上特殊的文學。由表意文字而創作的文學至今存在於中國及受中國影響的東亞各地。此文學的特色在於單音節的音調通過聽覺的感官，明晰的意象通過視覺的官能而爲人所接受。表意文字起源於何時，不能明確地論斷。傳說黃帝時史官蒼頡創造書契，並沒有可信的證據。或許蒼頡是始作書契文字的人，但未必眞實存在。殷商時代也有表意文字的使用，由近時河南省安陽縣的殷墟，所發掘的龜甲獸骨文字可以證明。使用表意文字而創作文學，與殷代相距並不遠。再者，中國是先有韻文，或先有散文出現，雖然不能明確地肯定，而二者大概是同時代發生的，或許是個事實。

《尚書》是中國最早的散文，但是其中也有後出的篇章，如「二典三謨」文體整然，篇首有「粵若稽古」的語句，或爲後世的作品。殷墟文字中有貞卜之辭，《易》本文收錄有與此相似的文句，可知《易》本文的完成也相當早。又從「周易」的名稱，有與周初有關的箕子、岐山的辭彙，或許爲周初的作品。但是「匪寇婚媾」一詞出現兩次，則又是有掠奪行爲與婚姻關係時代的作品。然而《周易》的成書畢竟極早，與韓愈所謂「詰屈聱牙」的《尚書》的「殷盤、周誥」是中國最早的散文。成書雖不能明確，大抵形成於殷末周初。至於「詰屈聱牙」，則是近於當時的口語，而缺少修飾的關係。周室東遷，春秋戰國時，隨著列國激烈的競爭，知識思想飛躍的結果，文章也逐漸發達。就議論文而言，《孟子》的精練，《莊子》的飄逸，《孫子》的簡潔，《韓非子》的謹嚴，在任何時代，都是一流的傑作。與議論文的同時，敘事文也極發達。《戰國策》雖編輯於漢代，其原始資料則是戰國的產物。《左傳》、《國語》的成書雖有爭議，大抵完成於戰國時代，即先秦是毫無疑問的，由散文顯著發達的春秋戰國，經過秦的統一，到了漢代仍有餘響。就議論文而言，如賈誼的「治安策」、董仲舒的「對策」，與先秦散文相比，毫不遜色。至於敍事文，司馬遷的《史記》則是當代的傑出之作。

中國韻文的盛衰

韻文是可以吟唱的文學，以押韻而形成音調，而便於記憶的文學。也是極早就形成了。不過《家語》的〈南風〉之詩，《尚書大傳》的〈卿雲之歌〉分明是帶有秦漢以後的楚調，不能視爲中國最早的韻文。《尚書．益稷》所見的君臣唱和的歌，則是《詩經》時代的調子。《詩經》中最早的詩，並不超過殷末周初，較晚出的，則在春秋中葉。不僅風雅頌的體裁內容有所差異，十五國風也多少有不同。不過，大體而言，是以四言而形成的詩，而內容則以黃河流域人情風俗的吟詠爲主。換句話說，殷末周初以迄春秋中葉，黃河流域盛行著《詩經》形式的詩風。到了戰國時代，或許由於時代的影響，如《孟子》所說的王者迹熄而《詩》亡，四言詩的詩風甚爲衰微。大抵在戰國時代，知識發達，議論文章盛行，則感性的詩作受到了挫折。雖然如此，中國韻文只是一時中止，戰國時代，在長江流域出現了新的韻文——《楚辭》。

《楚辭》和《詩經》的差異及《楚辭》文學的東北向發展

《楚辭》的作者，是屈原與隨其流風的宋玉、景差。《楚辭》與《詩經》同爲韻文，而二者有極大的差異。《詩經》是以北方的黃河流域爲題材，《楚辭》則流行於南方的長江流域。因此可反映南北的人情風俗、自然景物、草木禽獸。就風格而言，《詩經》質實而簡素，《楚辭》流麗而感傷。以日本的古典作比的話，《詩經》是《萬葉集》，《楚辭》是《古今集》，再就形式而言，《楚辭》並不是沒有四言，但多爲五言、六言、七言、八言的詩，《詩經》則以四言爲主體。至於韻律方面，《楚辭》用「兮、些、只」的虛字以整齊韻律而吟詠，故韻律與《詩經》迴異。《楚辭》的韻律，是以郢都（今湖北省江陵縣）爲中心，屈原本來是在郢都，其後流放湖南一帶。〈九章〉中，對郢都的眷戀回顧，惻惻動人的詩篇，即是此時之作。秦白起攻陷郢都，楚王徙都湖南陳地二十五年。其後又遷都壽春，至滅亡，有二十多年。即去郢之後的近五十年間，楚的政治中心是在河南安徽一帶。隨著政治中心的轉移，楚的王室及中上流的貴族縉紳也去郢都而至陳地、壽春。換句話說，郢都文化移動到黃河、淮河流域，因此《楚辭》文學也有往東北方向發展的傾向。

荀子之文受《楚辭》文學的影響

漢初文學受《楚辭》文學的影響

荀卿仕於楚末，爲蘭陵令。《荀子》的〈成相〉、〈賦篇〉是韻文，爲《楚辭》的變體。文章多譬喻而且有冗長重複之感，或許是受到《楚辭》文學的影響。秦漢之際，項羽與劉邦並起，其後劉邦滅亡項羽而建立漢朝。劉、項起於南方的楚地，楚地而吟頌楚調歌謠，由垓下之圍，聽到四面楚歌，可以得到證明。又項羽的〈垓下歌〉、劉邦的〈大風歌〉皆爲楚調。相傳是荊軻所作的「風蕭蕭兮易水寒」，或許是漢人僞作，也是楚調。總之，漢初詩歌都受到《楚辭》文學的影響，南方的《楚辭》文學支配了黃河流域，新的文學現象，即五、七言的詩歌產生。

收載於《文選》的蘇武、李陵應酬之作的五言詩，被認爲是五言詩的始祖，其實是後世的僞作。因此，中國五言詩最早出現的是李延年的〈北方有佳人〉一詩。不過六句中有一句是八言。七言詩則始於漢武帝時的〈柏梁臺〉詩。五言詩、七言詩產生的起源，是個極重大的問題。例如日本的詩歌的「七五」的調子是由「六四」的調子轉變而成的，那麼在語言上必定產生極大的變化。五、七言的詩歌既不是《詩經》體，也不是《楚辭》體，其產生或許是伴隨著漢朝的建國，融合南方楚人的語調與北方黃河流域的語調而形成的。《楚辭》諸篇，像：

薄暮雷電歸何憂，厥嚴不奉帝何求。（〈天問篇〉）

純粹是七言詩句或五言詩句並列的辭句是很罕見的。但是，去除「兮、些、只」的虛字而形成五、七言的並不少，如〈漁父〉的：

滄浪之水清兮，可以濯吾纓，滄浪之水濁兮，可以濯吾足。

〈涉江之亂〉的：

鸞鳥鳳皇日以遠兮，燕雀烏鵲巢堂壇兮。（下略）

去「兮」字即成爲五言和七言。像這樣的詩句，也見於〈橘頌〉、〈招魂〉、〈大招〉等篇。因此，《楚辭》系的文學與黃河流域《詩經》系的文學融合，產生五言、七言的詩，乃是自然的趨勢。至於《詩經》系和《楚辭》系的文學依然存在於當時，也是個事實。

《楚辭》文學的普及與賦的流行

《楚辭》文學興起於楚地，不僅發展到黃河流域，也由關中而普及至四川。王褒的〈九懷〉、劉向的〈九歎〉都是模倣屈原〈九歌〉、〈九章〉的《楚辭》。東漢王逸作〈九思〉，並注解《楚辭》，即可窺知《楚辭》流行於兩漢的情形。由於《楚辭》的影響，賦體也流行一時而主導當時的文學界。根據《漢書．藝文志》的記載，西漢的賦作有一千篇以上，以淮南王劉安的八十二篇爲最多，賈誼七篇、司馬相如二十九篇，司馬遷也有八篇。由於賦體流行，文體形式也有了影響，即致力於對句的使用，齊整詩的形式。因此駢體文學逐漸抬頭。

駢體文學的隆盛與律詩的產生

駢體文學是中國文學特有的色彩，由語義與音調的特色組合而成的。如青山對白水，美人對才子，一字有一音，一音有一義，組合成對句。文章中用對句的歷史由來已久，《書經・武成》有「歸馬于華山之陽，放牛于桃林之野。」《論語》「君子喻於義、小人喻於利」、「博學而篤志，切問而近思」皆是。其他經傳諸子也有甚多，特別是《楚辭》文學，對句或類似對句的文句更是不勝枚舉。受《楚辭》影響的漢賦自然有不少對句，即使是散文體的鄒陽〈獄中上書〉也用了很多對句。不過尚未到達全篇對句的地步。東漢以後，駢體文學的氣機才逐漸醞釀形成，蔡邕碑文即以對句構成。到了魏晉，駢體文學隆盛於黃河流域，五胡亂華，知識分子移住長江流域，駢體文學因而鼎盛於南朝。梁劉勰著《文心雕龍》以〈麗辭〉篇專論駢體文學，並非偶然，駢體文學隆盛之後，對詩歌也產生影響，律詩的產生即是。

律詩、樂府、元曲的流行

律詩不僅注重字句的對仗，也要講求聲韻的協調。吳陸機的詩已有不少對句，宋謝靈運的更多，但是都不足以稱爲是眞正的律詩。梁庾信的詩，才有律句或律詩的出現。到了初唐，更產生八句的五言律、七言律，甚至於排律。由於駢體文學的影響，在中國詩史上產生了律詩，古體的五言、七言長篇，四言的《詩經》體，甚至碑銘也廣泛地使用駢偶對句。

中國的韻文自周秦以來經過了幾番變遷。就歌謠而言，廣爲傳頌的卻未必合於樂曲的調子。漢代樂府固然有長短句的特意製作，以調和於韻律節奏；但是到了唐代，實際上已不合於節奏，白樂天的新樂府即是一例。因此，後世即有詩餘的新體產生。詩餘由唐末經五代，到宋而全盛，元代則有詞曲流行。因此，後世常將宋詞、元曲並稱。

唐代駢體文學的勢窮與古文復興運動

唐代除了歷史與地方志以外，詔敕、奏疏、對策、碑頌等文體大抵皆用駢體文，而且佛教術語也用對句，形成新的辭彙而運用於駢體文。但是駢體文學過分拘束於形式，內容也受到束縛，因此就產生了流弊。即使像張說、蘇頲所作的駢體頗厚重，遠超越六朝末年的作品；但是也不能挽回駢體文學至唐代而勢力困窮的趨勢。要打破此困境，除了採用不同的文體以外，別無他策。所謂不同的文體也除了古文的復興或俗文學的推行之外無他。但是俗文學接近口語，中國各地方言差異甚大，作爲統一國家的標準文體是極爲困難的。秦始皇一統天下時，不企圖統一語言而實行文字統一，即基於這個原因。因此，在駢體文學不能繼續的情況下，古文復興是必然的趨勢，中唐時，獨孤及、梁肅等人已有意地用古文撰述，韓愈、柳宗元更鼓吹古文的復興。韓愈提倡以先秦西漢的古文爲典型而創作文章，完全捨棄駢體文學的餘習，但是除了柳宗元與弟子李翱等人附和以外，並未風靡於天下。國家科舉考試仍以駢體爲主，五代宋

宋代古文全盛與詩歌的不振

初依然持續駢體文學的餘勢。換句話說，唐末皮日休，宋初柳開、穆修、尹洙致力於古文的提倡與寫作；但是勢單力孤，猶如岩石隙縫中的涓涓細流。藉此微薄的力量而大力發展，由涓流而形成大河汪洋導入大海的是歐陽修的大力推行。

歐陽修遠繼韓愈之後，傾注心力於古文的提倡，科舉考試遂採用古文。科舉用古文助長了古文復興運動的氣機，歐陽修門下的三蘇、曾鞏、王安石的才識與身居要職，致使古文達於全盛。特別是議論文學的流行，是秦漢以來極爲罕見的。古文流行至北宋末、南宋初的時候，依然有雋才如秦觀、李綱、王十朋、陳亮等活躍於文壇。由於古文達於全盛，宋代詩歌的發展卻遠不及唐代。宋代理學勃興，人人偏向理性發展，詩作則流於繁瑣而缺乏渾厚悠揚的意趣。即使有大家出現，如北宋的蘇東坡、南宋的陸游出現，但是江西詩派的楊誠齋，范成大諸家，都有宋詩特有的短處，缺乏韻味。因此，宋代古文的發展雖凌駕於唐代之上，詩作則不及唐代。在此文學趨勢中，詩文並茂，嶄露頭角於文學界，又以哲學家而留名千古的是朱子。

乙

古今中外，既是大哲學家又是大文豪的並不多見。朱子是儒家哲學大成的哲人，因此其文學的成就被忽略了。其實宋代文學家的文才能和朱子匹配的並不多，至於宋代理學家的文章詩歌，就無人能和朱子相抗衡。

朱子之前的道學者，如周敦頤、程明道、程伊川、張橫渠等人的文學，並沒有什麼文學價值。《周子全書》收載了周敦頤的文章八篇、詩二十八首（五古五首、五律六首、七律三首、七絕十三首）。其中膾炙人口的不過是〈愛蓮說〉，至於最為後人傳誦的詩，只有〈春晚〉的七絕：

花落柴門掩夕暉，昏鴉數點傍林飛。吟餘小立欄干外，遙見樵漁一路歸。

《張子全書》雖有文九篇，詩十六首（古詩二首，七絕十四首），皆不足觀。《二程全書》收載程明道的文章三十餘篇、詩六十五首（七古一首、五排律二首、七律廿七

朱子以前哲學家的文學

首、七絕廿八首）。詩文皆以齊整有序爲上。程伊川的〈上仁宗皇帝書〉、〈上太皇太后書〉等頗有可觀，至於詩作則乏善可陳。《擊壤集》是邵康節的詩集，有偏於義理的詩作，也有吟詠自然的詩歌。序文說：

> 《擊壤集》，伊川翁自樂之詩也，非唯自樂，又能樂時與萬物之自得也。

邵康節的確具有詩才，可以稱爲是詩人，但是未必是詩的大家。程子門人楊龜山雖有詩文的才能，文學成就則無有可論。陸象山在哲學思想上雖與朱子相抗衡，詩文則闕如。只有張南軒詩文兼優，不幸先朱子二十年死，享年只有四十八，故不能稱爲大家。總而言之，朱子之前或與朱子同時的哲學家，有文學成就而値得稱道的一個也沒有。因此說朱子既是大哲學家，又是大文豪是毫無疑問的。

朱子天生而有文學的天分和文學的氣質。而此資質是父親的遺傳和家學的薰陶。

朱松的文學才能

朱子的父親朱松，號韋齋，著有《韋齋集》十二卷。朱子的〈先考行狀〉記載著：

> 公生有俊才，自爲兒童時，出語已驚人。少長遊學校，爲舉子文，即清新灑

落，無當時陳腐卑弱之氣。及去場屋，始放意爲詩文。其詩初不事雕飾，而天然秀發，格力閒暇，超然有出塵之趣。遠近傳誦，至聞京師，一時前輩，以詩名者，往往未識其面，而已交口譽之。其文汪洋放肆，不見涯涘，如川之方至，而奔騰蹙沓，渾浩流轉，頃刻萬變，不可名狀，人亦少能及之。

朱子的文學氣質

考察《韋齋集》的詩文，朱子所稱述並非不實，朱松確實具有文才。朱松在朱子十四歲去世，朱子繼承遺傳與家學，而有文學的天才與氣質，並非不可理解。

一般而言道學家、哲學家總是了無趣味，也缺乏文士的風流。但是朱子則不然。〈朱子年譜〉有朱子門下吳壽昌的記述：

先生……微醺則吟哦古文，氣調清壯。某所聞見，則先生每愛誦屈原〈離騷〉、孔明〈出師表〉、淵明〈歸去來辭〉，並杜子美數詩而已。

另外《朱子語類》卷百四十，也記載吳壽昌的話，敍述朱子吟誦唐僧寒山詩數首的事。可知朱子並非窮屈的道學家，頗具有文學的氣質與修養。

唐末五代有詩餘的創作，至宋代而大興，如果將樂府比作歌謠，則詩餘就是俗曲。宋代文人大量撰述詩餘，但是道學家留心詩餘卻很少。雖然如此，朱子也有詩餘十八首傳世。但是詩餘中，有〈雪梅二闋奉懷敬夫〉的詞，此詞之後，有「題二闋後，自是不復作矣」的詩：

久惡繁哇混太和，云何今日自吟哦，世間萬事皆如此，兩葉行將用斧柯。

朱子到了中年以後，就不作詩餘了。雖然如此，文學創作而及於詩餘，可見朱子對文學的趣味是極爲廣泛的。朱子於哲學上的著述甚豐而功績卓著，不僅如此，於文學上亦然。此由朱子對於《詩經》與《楚辭》有新的詮釋，可以窺知一二。

《詩經》與《書經》、《易》、《春秋》被視爲儒家經典。其實《詩經》是周代出自黃河流域的詩集，是探究當時世風人情，社會習俗的資料。然則《詩序》以爲孔子以《詩經》爲教化的基準而有所取捨，〈鄭風〉、〈衛風〉爲淫詩。《毛傳》與《鄭箋》就是在此詩教主義下而產生。其後唐代的《正義》又尊崇《毛詩鄭箋》，於《詩經》的解釋，甚難超越詩教主義。然則由五代而至宋代，伴隨著政治的革命，經說的傳統束縛鬆弛，自由研究的風氣逐漸盛行，因此，歐陽修的《毛詩本義》、蘇轍的《詩集傳》即不盲從《詩序》，也不墨守毛、鄭之說。到了南宋，鄭樵作《詩辨妄》、王質作《詩總聞》，則完全捨棄《詩序》。朱子的《詩集傳》也不拘限於《詩序》與毛、鄭之說，以自身的見解詮釋《詩經》。朱子以為《詩》未必有教化的功能，〈鄭風〉、〈衞風〉是男女相思的詩歌。由於朱子不拘拘於嚴正的道學家的立場，而有創作詩餘的文學氣質，因此，解釋《詩經》也能不固守陳說，直觀作者的著述心理，所以有新的見解，《詩集傳》是朱子四十八歲時的著作，雖然有矯枉過正的地方；但是對於儒家經說的貢獻有不少，於文學上的功績亦甚大。

前代《楚辭》注釋的缺點與《集注》的特色

朱子既注解產生自黃河流域的《詩經》，對於長江流域的產物的《楚辭》，自然也有解說。因為朱子平生愛讀《離騷》。只是朱子傾注平生心力於經學的研究，於完成《詩集傳》的二十年後，才著手解說《楚辭》。這也是朱子最後的學術業績。

《楚辭》的注始於東漢王逸。王逸綜輯屈原、宋玉、景差的作品，並將淮南王安、東方朔、嚴忌、王褒、劉向等人的《楚辭》體作品作為附屬，而形成今日所見的《楚辭》。南宋洪興祖作《楚辭補注》十七卷。除此之外，北宋晁補之編有《楚辭》十六卷、《續楚辭》二十卷、收輯《變離騷》二十卷。（見周必大《平園續稿》卷十三）但是已經亡佚，內容不可詳考。因此，對於《楚辭》的理解，乃以王逸的注與洪興祖的補注為依

《集注》的著成年代

據。但是二書只留意於語句、名物的解釋，於全書旨趣的說明則付諸闕如。而且語句的解說也有不足的地方。因此朱子才撰述《楚辭集注》八卷、《辨證》二卷、《後語》六卷。

《楚辭集注》收載屈原、景差、宋玉的全部作品，並載錄賈誼的〈惜誓〉、〈弔屈原〉、〈服鳥賦〉，嚴忌的〈哀時命〉，劉安的〈招隱士〉；至於東方朔的〈七諫〉，王褒的〈九懷〉，劉向的〈九嘆〉，王逸的〈九思〉諸篇則刪除不錄。全篇逐章按句地注釋、辨證，並且詳審地考證。《後語》則收集《荀子．成相》、荊軻〈易水寒〉、項羽〈垓下歌〉、漢高祖〈大風歌〉以至宋呂大臨〈擬招〉等《楚辭》體的作品，凡五十二篇。有關《楚辭集注》等著作，是朱子幾歲時完成的？舊本《朱子年譜》以爲是慶元元年，即朱子六十六歲時完成《楚辭集注》。但是王懋竑的《朱子年譜》則認爲是慶元五年三月，朱子七十歲時寫成《楚辭集注》。到底何者的說法是正確的。根據舊本《年譜》的門下楊楫的跋說：

> 慶元乙卯（元年）楫侍先生于考亭精舍。時朝廷治黨人方急。丞相趙公謫死于永，先生憂時之意，屢形於色。忽一日出示學者，以所釋《楚辭》一篇。某退而思之、先生平居教學者，首以《大學》、《語》、《孟》、《中庸》，次而《六經》，又

次而史傳，至於秦漢以後詞章，特餘論及之耳，乃獨爲《楚辭》解釋，其義何也。然先生終不言，某輩亦不敢竊有請焉。

慶元元年既已完成《楚辭》的注釋。但是，《朱子文集》卷七十六〈黃子厚詩序〉，則說「慶元己未（五年）七月」。〈黃子厚詩序〉之後，則收錄〈楚辭後語目錄序〉及〈楚辭集注序〉。按照《文集》目次的順序，則上述各書的序文皆完成於慶元五年。因此，《楚辭集注》或於慶元元年著手，而於五年完成。至於楊楫跋文所說的，門人不解朱子爲何單單注解《楚辭》，這是不理解朱子學術性格的緣故。朱子既注解黃河流域韻文總集的《詩經》，再注釋長江流域韻文代表的《楚辭》，是必然的取徑。再者朱子以爲《楚辭》並不難以理解。朱子說：

《楚詞》平易，後人學做者，反艱深了，都不可曉。（《朱子語類》卷百三十九）

朱子不以爲《楚辭》是屈原抑鬱悲憤之作的集合，因此，注釋極爲平易，務求疏通全篇大意，使讀者了解《楚辭》旨趣的所在。至於語句的解釋也不墨守舊注而提出自己的見解。如〈離騷〉篇首的「攝提」一詞，舊注為「攝提格」，朱子則以為是「星名」。又〈九章〉篇首的「所作忠而言之兮」，舊注：

言己所陳忠信之道，先慮於心，合於仁義，乃敢為君言之也。作，一作非。

朱子採「作，一作非」之說，改「作」為「非」以非忠而有所言，是誓詞的慣用語法。朱子的解釋是頗有見解。像這樣糾正舊注誤謬的地方，隨處可見。故研究《楚辭》者，非參考朱子的《集注》不可。朱子於注解《詩經》後，又撰述《楚辭集注》，於文學研究上有莫大的貢獻。

朱子在文學研究上有其功績，而朱子的文章與詩歌到底有何價值。在探究這個問題之前，先敍述朱子對歷來的詩文抱持著什麼樣的看法、即朱子的文學觀如何。朱子將文章歸類為治世之文、衰世之文與亂世之文。《六經》為治世之文，《國語》為衰世之文，《戰國策》為亂世之文。至於文學家的文風如何。漢朝賈誼之文質實，司馬遷之文雄健，董仲舒之文滋潤緩弱而少精彩。至於唐代則推韓、柳。韓文議論持正，規模宏大；但不如柳文的精密。雖然如此，柳文易學而韓文難學。而且：

柳子厚看得文字精，以其人刻深，故如此。韓較有些王道意思，每事較含洪，便不能如此。（《朱子語類》卷百三十九）

則爲持平的議論。不過：

韓文公詩文冠當時，後世未易及。（同上）

唐代文章以韓文爲泰斗，亦是知人論世。朱子晚年（六十八歲）著《韓文考異》，考證韓文文字的異同，是其來有自的。宋代文章則以歐、蘇、曾爲首。朱子說：「文字到歐曾蘇，道理到二程方是暢。」歐陽修的文章「敷腴溫潤」，而且：

有紆餘曲折，辭少意多，玩味不能已者。（同上）

尤以〈豐樂亭記〉最堪玩味。曾鞏的文章著實峻潔。朱子說曾鞏的文章：

雖議論有淺近處，然卻平正好。（《朱子語類》卷百三十九）

即「紆餘曲折」處不及歐文。至於大蘇的文章，雖明快雄健有餘，而：

只下字亦有不貼實處。（同上）

就歐、曾、蘇三人之文而言，朱子以曾鞏之文最「質而近理」。擬制的數篇文章，夾雜於三代誥命中，也毫無愧。因此，特別撰述〈南豐年譜〉。朱子最喜愛曾文的事實可以窺知。朱子又說：

人要會作文章，須取一部西漢文與韓文，歐陽、南豐文。（同上）

此爲朱子撰述文章的標準所在。朱子以爲文章以講事實、明義理爲主。朱子說：

作文字須是靠實說得有條理乃好，不可架空細巧。（同上）

朱子爲文的理想及其對古人文章的批評

> 但須明理，理精然後文字自典實。（同上）

進而批評當時的文章，說：

> 今人作文，皆不足爲文。大抵專務飾字，更易新好生面辭語，至說義理處，又不肯分曉。（同上）

這也可以窺知朱子以事實爲主，以義理爲重的文學觀，至於文章的理想，由〈讀唐志〉一文可以察知。他說：

> （前略）夫古之聖賢，其文可謂盛矣。然初豈有意學爲如是之文哉，有是實於中，則必有是文於外，如天有是氣，，則必有日月星辰之光耀，地有是形，則必有山川草木之行列，聖賢之心，既有是精明純粹之實以磅礴充塞乎其內，則其著見於外者亦必自然條理分明，光輝發越而不可揜，蓋不必托於言語著於簡册，而後謂之文，但自一身接於萬物，凡其語默動靜，人所可得而見者，無所

> 適而非文也。（下略）

文章宜以《六經》爲基準。至於《六經》以後的文章，朱子以爲：

> 孟軻氏歿，聖賢失傳，天下之士，背本趨末，不知道養德以充其內，而汲汲乎徒以文章爲事業。然在戰國之時，若申、商、孫、吳之術，蘇、張、范、蔡之辯，列禦寇、莊周、荀況之言，屈平之賦，以至秦漢之間，韓非、李斯、陸生、賈傳、董相、史遷、劉向、班固，下至嚴安、徐樂之流，猶皆先有其實而後託之於言，惟其無本，而不能一出於道，是以君子猶或差之，及至宋玉、相如、王褒、揚雄之徒，則一以浮華爲尚而無實之可言矣，雄之《太玄》、《法言》，蓋亦〈長楊〉、〈較獵〉之流，而粗變其音節，初非實爲明道講學而作也。

並非有道之文，其中有的是有實之文，有的則是無實之文。至唐代的韓愈出，

> 東京以降訖於隋唐，數百年間，愈下愈衰 則其去道益遠，而無實之文，亦無

足論。韓愈氏出始覺其陋，慨然號於一世，欲去陳言追《詩》《書》六藝之作，而其弊精神，縻歲月，又有甚於前世諸人之所爲者，然幸其略知不根無實之不足恃，因是頗泝其源而適有會焉，於是〈原道〉諸篇始作，而其言曰，根之茂者其實遂，膏之沃者其光曄，仁義之人其言藹如也，其徒和之，亦曰未有不深於道而能文者，則亦庶幾其賢矣。

力唱文以載道之說。雖然如此，當時一般所作的文章依然以無實的居多。故朱子以屈原、孟軻、司馬遷、司馬相如、揚雄爲第一等，董仲舒則不及上述諸人。最後，朱子論唐宋文章說：

但以剽掠僭竊爲文之病，大振頹風，教人自爲，爲韓之功，則其師生之間，傳授之際，蓋未免裂道與文以爲兩物，而於其輕重緩急本末賓主之分，又未免於倒懸而逆置之也。自是以來，又復衰歇，數十百年，而後歐陽子出，其文之妙，蓋已不愧於韓氏，而其曰治出於一云者，則自荀、楊之下，皆不能及，而韓亦未有聞焉，是則疑若幾於道矣，然考其終身之言，與其行事之實，則恐其亦未免於韓氏之病也。

就文章的理想而言，朱子認爲韓愈與歐陽修的文章都未達盡善盡美的境界。唯有即事實而不離道理，排除一切浮虛夸誕的空言，才是文章的上乘。因此，朱子文章雄健自在，內容充實而言之有物。就文章的內容而言，韓愈與歐陽修是不及朱子的。

朱子對詩的態度

朱子對詩的看法，可由其對《詩經序》的看法，窺知一二。

人生而靜，天之性也，感於物而動，性之欲也。夫既有欲矣，則不能無思，既有思矣，則不能無言。即有言矣，則言之所不能盡而發於咨嗟咏歎之餘者，必有自然之音響節族，而不能已焉，此詩之所以作也。

詩是抒發人的情性，這是《詩經》作者的旨趣。後世純粹爲作詩而作的專家，即詩人出現，寫景敍情有如畫家的藝術，雖與《詩序》的旨趣不同，頗有藝術的意境，自有其存在的價值。

朱子對前代詩人的品評

但是朱子以爲詩人的作品，若以古詩而言，大抵以西晉爲下限，東晉不及西晉，齊梁則趨向浮薄。朱子說：

齊梁間之詩，讀之使人四肢皆懶慢不收拾。

以上是朱子就時代的詩風而作的評論。至於前代的詩人論，朱子以爲陶淵明的詩，大抵是「平淡出於自然」，但是有豪放的詩作，如〈詠荊軻〉的詩即是。李太白的詩並未都是豪放之作，也有「雍容和緩」，如「大雅久不作……」（〈古風其一〉）的詩，不但詩有法度，而且法度中又見從容的儀態，足稱詩之聖。杜少陵少年的詩甚爲精細，晚年則「橫逆不可當」，夔州以前的詩多佳作，夔州以後的詩則逾越規模而不可學。朱子愛誦僧寒山的詩。又以韋蘇州的詩在王維、孟浩然之上。韓愈詩的字句雖然詰屈；但是就詩的意義而言，則極爲平易。

以上是朱子品評前代詩人的一斑。可以說逾越一般尋常的看法而別具慧眼。

朱子不稱善時人之詩

朱子未必稱許宋人的詩作。朱子以爲梅聖俞的詩枯槁而平淡，且有未成之處。蘇東坡才氣洋溢，却一股說盡而無餘意，黃山谷以精絕而成一家，但刻意詠成古詩。陳後山雅健超出山谷，但氣力不及山谷。由此可知，朱子對當時流行的江西詩派的詩風並不苟同。朱子進一步地批評時人的詩作說：

> 今人不去講義理，只去學詩文，已落第二義。況又不去學好底，卻只學去做那不好底。作詩不學六朝，又不學李杜，只學那嶢崎底。今便學得十分好後，把作甚麼用，莫道更不好，如近時人學山谷詩，然又不學山谷好底，只學得那山谷不好處。（《朱子語類》百三十九）

朱子又說：

> 作詩先要看李杜，如士人治本經，本既立，次第方可看蘇黃以後詩。（同上）

即詩的典型在初唐、盛唐，甚至於是在漢魏。詩作則以平易爲尚。朱子引陸放翁詩句：

> 春寒催喚客嘗酒，夜靜臥聽兒讀書。

說自己喜愛的是自然而不刻意強爲的詩。朱子以爲張南軒「臥聽急雨打芭蕉」的詩句

由書信看朱子的文才

上奏文有莊嚴沈重之趣

聲調不響，不如改作「臥聞急雨到芭蕉」。可知朱子對詩具有非比尋常的鑑賞力。至於朱子自身的詩文又如何？

《朱子文集》百卷、《續集》五卷、《別集》七卷。就宋代編纂的文集而言，其所收集的詩文甚爲豐富。另外，朱子與友朋、門下往返的書信也極多，《文集》的卷二十四至四十七，幾乎都是，共有七百餘封左右。其中與呂東萊書信五十三封，張南軒四十九封、蔡季通四十五封、呂子約四十八封，給其他人的也有二十至三十封。《呂東萊文集》收載呂東萊給朱子書信的有二十封左右，《張南軒集》則有七十三封。可見當時朱子與友人的往返極爲頻繁。這些書信的內容以尋常瑣事與學術問答居多，行文則不假修飾，更無刻意營爲的斧鑿痕跡，不但可以窺知作者的眞性情，也可以理解其文才。從朱子的書信看來，其敍述各種問題，而了無拘束窘迫的所在，可以理解其有文學天才的一端。有關政治與學術的論文不在話下。即使是人情事故與風景的敍述，在運筆自在中含有莊嚴而沈重之趣。如紹興三十三年、三十三歲寫的〈壬午應詔封事〉，可以窺知朱子於政治上的識見。又淳熙十五年，即五十九歲的〈戊申封事〉，是疾陳時事的長篇大作，與王安石〈上仁宗皇帝書〉、蘇東坡〈上神宗皇帝書〉相比，不但毫無遜色，甚至有凌駕其上之感。至於「序」方面，乾道九年，四十四歲作的〈王梅溪文集序〉，

序文的名篇

記述文的佳作

淳熙四年、四十八歲的〈詩集傳序〉，十二年、五十六歲的〈向薌林文集序〉，十六年、六十歲的〈中庸章句序〉都是序文的千古佳作。記述文方面，淳熙二年、四十六歲時作的〈雲谷記〉，四年、四十八歲的〈江州濂溪先生書堂記〉，六年、五十歲的〈江陵府曲江樓記〉又是記述文的名篇，特別是〈曲江樓記〉是與范仲淹的〈岳陽樓記〉、宋景濂的〈閱江樓記〉相提並論，是我個人最喜愛的佳篇，故抄錄於下：

〈江陵府曲江樓記〉

廣漢張侯敬夫守荊州之明年，歲豐人和，幕府無事，顧常病其學門之外，即阻高墉，無以宣暢鬱湮，導迎清曠，乃直其南，鑿門通道，以臨白河，而取旁近慶門舊額以榜之，且爲樓觀以表其上。敬夫一日與客往而登焉，則大江重湖，縈紆渺瀰，一目千里，而西陵諸山，空濛掩靄，又皆隱見出沒於雲空煙水之外。敬夫於是顧而歎曰：此非曲江公所謂江陵郡城南樓者耶？昔公去相而守於此，其平居暇日，登臨賦詩，蓋皆翛然有出塵之想，至是傷時感事，寤嘆隱憂，則其心未嘗一日不在於朝廷，而汲汲然惟恐其道之終不行也。於戲悲夫，乃書其扁，曰「曲江之樓」，而以書來，屬予記之。時予方守南康，疾病侵陵，求去不獲，讀敬夫之書，而知茲樓之勝，思得一與敬夫相從遊於其上，瞻眺江山，覽觀形勢，按楚漢以來，成敗興亡之效，而考其所以然者，然後舉酒相屬，以詠張公之詩，而想見其入於千載之上，庶有以慰夙心者，顧乃千里相望，邈不可得，則又未嘗不矯首而悲，而喟然發歎也。抑嘗思之，張公達矣，其一時之事，雖唐之治亂所以分者，顧亦何預於后之人，而讀其書者，未嘗不爲之掩卷太息也。是則是非邪正之實，乃天理之固然，而人心之不可已者，是以雖曠百世而相感，使人憂悲愉快勃然於胸中，若親見其人而真聞其語者，是豈有古今彼此之間，而亦孰使之然哉。詩曰：「天生烝民，有物有則，民之秉彝，好是懿德。」登此樓者，於此亦可以反諸身而自得之矣。予於此樓，既未得往寓目焉，無以寫其山川風景朝暮四時之變，如范公之書岳陽也，獨次第本語，而附以予之所感者如此，后有君子，得以覽觀焉。

朱子的敍事文的寫作時間雖然不能確定，但是大約是六十歲前後完成的〈奉使直祕閣朱公（辨）行狀〉、慶元五年，七十歲時寫的〈皇考左承議郎守尚書吏部員外郎……朱公行狀〉，前者敍述朱辨行使守節的事蹟，後者敍述其父的生平，格局結構嚴謹，行文縱橫而躍然紙上，即使是能文的史家也難望其項背。至於短篇小品而可觀也不少，如〈跋宋君忠嘉集〉、〈跋劉元城語錄〉等即是。朱子全集如浩翰，不容易徹頭徹尾地看完，清康熙末年、桐城周大璋編纂《朱子古文》六册，大抵網羅朱子文章的精萃，頗爲便利。

朱子未必重視作詩，故所遺留的詩作只不過文章的二十分之一。然則，上文也敍述過了，朱子受父祖的薰陶，朱子對詩的鑑賞能力極高，隨興而作的詩，或次韻的詩，也有不少佳作，而且不落入宋人窠臼。朱子以爲當時的詩風有所偏頗，而以漢魏唐的詩爲尚，如〈擬古八首〉，宛然有漢魏風味，〈齋居感興二十首〉雖然是模倣陳子昂的〈感遇〉而作的，格調莊嚴而內容充實，遠超過〈感遇〉詩；但是就詩而言，不免刻意苦成之感，與朱子所崇尚的平易自然的詩風有異。就朱子的詩而言，五言排律的〈感事十六韻〉與五言古詩的〈拜張魏公墓下〉是爲佳作。再就全體而言，五言律詩尤有可觀。如

〈登定王臺〉

寂寞番君後，光華帝子來。千年餘故國，萬事只空臺。日月東西見，湖山表裡

開。從知爽鳩樂，莫作雍門哀。

〈次敬夫登定王臺韻〉

今朝風日好，抱病起登臺，山色愁無盡，江波去不回。客懷元老草，節物又疏梅。且莫催歸騎，憑欄更一杯。

頗近唐詩格調，七言律詩非朱子所長，不但詩作不多，可採錄的也很少。但是五言古詩與七言絕句則有不少佳作，前者如〈雲谷二十六詠〉、〈雲谷雜詩〉、〈武夷精舍雜詠十二首〉。後者如〈武夷櫂歌十首〉、〈水口行舟二首〉，是膾炙人口的詩。

四曲東西兩石巖，巖花垂露碧㲯毿。金雞叫斷無人見，月滿空山水滿潭。（〈武夷櫂歌〉）

五曲山高雲氣深，長時煙雨暗平林。林間有客無人識，欸乃聲中萬古心。（同上）

昨夜扁舟雨一蓑，滿江風浪夜（「夜」字重出，恐有誤）如何。今朝試捲孤蓬看，依舊青山綠樹多。（〈水口行舟〉三首之一）

至於〈醉下祝融峯作〉：

我來萬里駕長風，絕壑層雲許盪胸。濁酒三杯豪氣發，朗吟飛下祝融峯。

雖然頗有盛名；但是不免表露太過而缺少含蓄，並非朱子詩中的上乘之作。又日本流傳是朱子所作的：

少年易老學難成，一寸光陰不可輕，未覺池塘芳草夢，階前梧葉已秋聲。

朱子《全集》並沒收載此詩，起承的二句不免幼稚可笑，或許不是朱子所作的。朱子的詩或許略遜於文章，但是就中國的道學家、哲學家而言，能像朱子這樣能寫詩的並不多。故清吳之振選錄《宋詩鈔》就收載不少朱子的詩，並稱贊朱子的詩是：

中和條貫，渾涵萬有。無事摸鐫，自然聲振。非淺學之所能窺。此和順之英華，天縱之餘事也。

朱子的文章足以媲美唐宋八大家

雖不免過譽，卻也並非完全不當，如果朱子能傾注全力於詩的寫作，必然更有可觀的佳作傳頌於後世。朱子於哲學研究之外，又行有餘力地從事詩文寫作，而且其文學的資質英華，遠非其他哲學家所能企及。然而一般人總是被朱子是大哲學家的盛名所遮掩，而極少留意朱子文學方面的成就。

明茅鹿門編纂《唐宋八大家文》，於唐取韓愈、柳宗元，宋則舉歐陽修、三蘇、曾鞏、王安石。清乾隆欽定《唐宋詩醇》列舉唐宋六大家，即唐的李、杜、韓、白與宋的蘇、陸。朱子的詩甚難與《詩醇》的六大家並駕齊驅，文章則可與唐宋八大家相提並論。如果我選集唐宋八大家文的話，韓、柳、歐、三蘇等六人與茅鹿門相同，另外二人，則以朱子與周必大取代曾鞏與王安石，將周必大與曾、王等同視之，或許會遭來異議；但是提出朱子，將未必會有人反對。故朱子的哲學承繼周張二程之後而為一代的規範；文學足以接續韓柳歐蘇，可以說是中國三千年的歷史中罕見的哲人。

本書著譯者簡介

一、著者

安井小太郎（一八五八—一九三八）

日本宮崎縣人，字朝康，號朴堂。安井息軒的外孫。父親是肥前島原有馬村的中井貞太郎，母親是息軒的長女須摩子。父親是很活躍的幕末維新志士。文久二年（一八六二）五月爲幕吏逮捕，翌年六月，死於獄中。後和母親一起被接到息軒家，接著改稱安井氏。明治九年（一八七六）十九歲時，入島田篁村之門。十一年赴京都跟草場船山學習。十五年（一八八二）入學東京帝國大學古典科，畢業後，由學習院助教授晋升教授。三十五年（一九〇二）應北京大學堂之聘擔任教習。四十年（一九〇七）歸國後，擔任第一高等學校教授。大正十四年（一九二五）退休後，擔任大東文化學院教授，又二松學舍專門學校、駒澤大學等的講師。安政五年六月十九日生，昭和十三年四月二日歿，年八十一。博通經學，又兼善詩文。著有《日本儒學史》、《經學門徑》、《大學講義》、《中庸講義》、《論語講義》、《孟子講義》、《明治中興詩文》、《曳尾集》、《朴堂遺稿》五卷等。（譯自近藤春雄著：《日本漢文學大事典》，頁六六八）

諸橋轍次（一八八三—一九八二）

日本新潟縣南浦原郡四ツ澤村（現在的下田村）人。經新潟縣第一師範學校，明治四十一年（一九〇八）東京高等師範學校國語漢文科畢業。經中學校教諭，歷任東京高等師範學校教授。東京文理科大學教授。其間，擔任靜嘉堂文庫長三十五年。又大正十三年（一九二四），著手編集《大漢和辭典》，約花費三十五年，全書十三卷。昭和三十五年（一九六〇）擔任都留文科大學首任校長，但三十九年（一九六四）以後，辭去一切官職。文學博士。明治十六年六月四日生。昭和五十七年十二月八日因年老力衰，於東京新宿區西落合自宅過世，年九十九。編著除學位論文《儒學の目的と宋儒の活動》之外，有《大漢和辭典》、《廣漢和辭典》（合著）、《詩經研究》、《中國古典名言集》、《老子の講義》、《論語の講義》等書。有《諸橋轍次著作集》全十卷。（同上，頁六六三。）

小柳司氣太（一八七〇—一九四〇）

日本新潟縣人。本姓熊倉，但三歲時父親過世，由叔父收爲養子，改姓小柳。叔父是神官，因好漢籍，從幼年即接受《論語》和《大學》的課題。十五歲時，入鈴木惕軒的長善館，學習英、漢、數。十八歲時上京，入英語學校。因生病中途退學回鄉，二十二歲時再上京，二十四歲時入東京大學。明治二十七年（一八九四）七月，漢學科選科畢業。此後，擔任新聞記者、雜誌記者，創辦東亞學校，出版《東亞說林》、《護國文學》等雜誌，但因資金困難失敗。此後，擔任廣島和京師的中學校教員，又升爲山口高等學校教授。接著歷任學習院教授、大東文化學院院長等。昭和十五年七月十八日歿，年七十一。文學博士。著有《道教概說》、《宋學概說》、《新著東洋學概說》、《東洋思想の研究》、《老莊の思想と道教》等。（同上，頁一〇一）

中山久四郎（一八七四—一九六一）

日本長野縣人。東京帝國大學文科大學畢業。後入東京帝國大學大學院專攻東洋史。明治三十四年（一九〇一）赴德國留學，研究史學和東洋史。回國後，擔任廣島高等師範學校教授、東京高等師範學校教授、東京帝國大學文科大學講師。大正十四年（一九二五）受領文學博士。昭和四年（一九二九）任東京文理科大學教授。昭和三十六年（一九六一）九月七日過世，年八十八。著有《最近支那の政治及文化》、《春秋左氏傳》（譯註）、《十八史略新釋》（合著）、《支那の人文思想》、《史學及東洋史の研究》、《山鹿素行》、《日本儒學年表》（合編）等書。（摘錄自榎一雄著：〈中山久四郎博士の學績〉，《東洋文庫書報》六號，昭和九年）

山田　準（一八六七—一九五二）

日本岡山縣高粱人。幼字鉡三郎。號濟齋。本姓木村氏。受三島中洲賞識，入繼爲山田方谷之後。入學二松學舍，又東京帝國大學古典科漢書課畢業。城北中學校教諭、第五高等學校教授。明治三十四年（一九〇一）擔任鹿兒島第七高等學校教授，持續任教二十五年。後擔任二松學舍校長。又擔任大東文化學院、東洋大學教授。以陽明學泰斗主持陽明學會，又擔任詩文會評議員。善於詩文。昭和二十七年十一月過世。年八十六。著有《十八史略箋註》、《老子講義》、《陽明學精義》、《傳習錄講本》、《陽明學講話》、《傳習錄譯註》（鈴木直治合著）、《日本名詩選精講》、《評釋千字文》、《濟齋詩鈔》等。（譯自近藤春雄著：《日本漢文學大事典》，頁六八〇—八一）。

市村瓚次郎（一八六四—一九四七）

日本茨城縣筑波郡北條町（筑波町）人。字圭卿，號器堂、筑波山人、月波散人。明治二十年（一八八七）東京帝國大學古典科漢書課畢業。歷止學習院教授、東京帝國大學教授。又兼任早稻田大學、國學院大學、大東文化學院、日本大學講師。其間，並擔任斯文會、史學會、東方文化學院等的理事、評議員。文學博士。元治元年八月九日生，昭和二十二年二月二十三日過世，年八十四。著有《東洋史統》四卷、《支那史》五卷、《支那史要》二卷、《東洋史要》二卷。又有《市村博士古稀紀念東洋史論叢》（昭和八年）。（同上，頁三三）

二、譯者

林慶彰（一九四八—　）

台灣省台南縣人。東吳大學中國文學研究所碩士班、博士班畢業，現任中央研究院中國文哲研究所研究員、東吳大學中國文學研究所兼任教授。專研經學和圖書文獻學。著有《豐坊與姚士粦》、《明代考據學研究》、《明代經學研究論集》、《清初的羣經辨僞學》、《圖書文獻學研究論集》、《學術論文寫作指引》。主編有《詩經研究論集㈠㈡》、《屈萬里先生文存》（合編）、《經學研究論著目錄（一九一二—一九八七）》、《朱子學研究書目》、《楊愼研究資料彙編》（合編）、《日本研究經學論著目錄》、《姚際恒著作集》、《經學研究論著目錄（一九八八—一九九二）》、《乾嘉學術研究論著目錄》、《經學研究論叢㈠㈡㈢㈣》、《中國經學史論文選集（上）（下）》、《廖燕研究資料彙編》、《姚際恒研究論集》（合編）、《明代經學國際研討會論文集》（合編）等二十餘種。譯有《近代日本漢學家》、《經學史》（合譯）、《論語思想史》（合譯）等。另有學術論文六十餘篇。

連清吉（一九五五—　）

台灣省苗栗縣人。東海大學中國文學研究所碩士班畢業，日本九州大學文學博士。現任鹿兒島純心女子大學副教授，專研先秦哲學、日本儒學史。著有《莊子寓言研究》、《清代考證學對日本考證學派的影響》。譯有《日本幕末以來之漢學家及其著述》、《經學史》（合譯）等。另有學術論文數十篇。

經學研究叢書・經學史研究叢刊 0501Z01

經學史

著　　者　安井小太郎等
譯　　者　連清吉、林慶彰
責任編輯　李冀燕

發 行 人　林慶彰
總 經 理　梁錦興
總 編 輯　張晏瑞
編 輯 所　萬卷樓圖書股份有限公司
臺北市羅斯福路二段 41 號 6 樓之 3
電話 (02)23216565
傳真 (02)23218698

發　　行　萬卷樓圖書股份有限公司
臺北市羅斯福路二段 41 號 6 樓之 3
電話 (02)23216565
傳真 (02)23218698
電郵 SERVICE@WANJUAN.COM.TW
香港經銷　香港聯合書刊物流有限公司
電話 (852)21502100
傳真 (852)23560735

ISBN 978-986-478-687-9
2022 年 5 月再版一刷
定價：新臺幣 500 元

如何購買本書：
1. 劃撥購書，請透過以下郵政劃撥帳號：
帳號：15624015
戶名：萬卷樓圖書股份有限公司
2. 轉帳購書，請透過以下帳戶
合作金庫銀行　古亭分行
戶名：萬卷樓圖書股份有限公司
帳號：0877717092596
3. 網路購書，請透過萬卷樓網站
網址　WWW.WANJUAN.COM.TW
大量購書，請直接聯繫我們，將有專人為您服務。客服：(02)23216565　分機 610

如有缺頁、破損或裝訂錯誤，請寄回更換

國家圖書館出版品預行編目資料

經學史/安井小太郎等著 ; 連清吉, 林慶彰合譯. -- 再版. -- 臺北市 : 萬卷樓圖書股份有限公司, 2022.05
面 ;　公分. -- (經學研究叢書. 經學史研究叢刊 ; 0501Z01)
ISBN 978-986-478-687-9(平裝)
1.CST: 經學史

090.9　　111007310